Libro integrado

Segundo grado

Libro integrado. Segundo grado

Autor
Luz María Chapela Mendoza

Colaboradores
Isauro Uribe Pineda
Alberto Padilla Rocha
Aureliano García Arreguín

Supervisión técnica y pedagógica
Subsecretaría de Educación Básica y Normal
de la Secretaría de Educación Pública

Diseño gráfico
Olivia Rojo Becerra
Carmina García de León y Mier

Ilustración
María Murrieta Salazar
Carmen Arvizu Berdejo
Luis Manuel Serrano

Fotografías
Javier Manrique

Portada
Diseño: Comisión Nacional de Libros de Texto Gratuitos,
con la colaboración de Luis Almeida
Ilustración: *Feria de San Juan,* s/f
Óleo sobre tela, 65 x 75 cm
Ezequiel Negrete Lira (1902-1961)
Museo Nacional de Arte, México, D.F.
Reproducción autorizada: Instituto Nacional de Bellas Artes y Literatura
Fotografía: Javier Hinojosa

Primera edición, 1994
Primera edición revisada, 1995
Octava reimpresión, 2002 (ciclo escolar 2003-2004)

ISBN 968-29-6247-1

Impreso en México
DISTRIBUCIÓN GRATUITA-PROHIBIDA SU VENTA

Presentación

Este es un nuevo libro de texto gratuito, destinado a los alumnos de segundo grado de las escuelas del país. Fue elaborado en 1994, en sustitución del que, con pocas modificaciones, se había utilizado durante veinte años.

La renovación de los libros de texto gratuitos es parte del proyecto general de mejoramiento de la calidad de la enseñanza primaria que desarrolla el gobierno de la República. Para cumplir tal propósito, es necesario contar con materiales de enseñanza actualizados, que correspondan a las necesidades de aprendizaje de los niños y que incorporen los avances del conocimiento educativo.

La Secretaría de Educación Pública ha establecido un procedimiento distinto del tradicional para renovar los libros de texto: ha convocado a concursos abiertos, en los que presentaron propuestas cientos de maestros, especialistas y diseñadores gráficos. Las propuestas, ajustadas a los planes y programas de estudio, fueron evaluadas por jurados independientes, integrados por personas con prestigio y experiencia.

El jurado del *Libro Integrado* para segundo año seleccionó este libro como el ganador y la Secretaría de Educación Pública lo ha adoptado como texto gratuito.

Con la renovación de los libros de texto, se pone en marcha un proceso de perfeccionamiento continuo de los materiales de estudio para la escuela primaria. Cada vez que la experiencia y la evaluación lo hagan recomendable, los libros del niño y los recursos auxiliares para el maestro serán mejorados, sin necesidad de esperar largo tiempo para realizar reformas generales.

Para que estas tareas tengan éxito, son indispensables las opiniones de los maestros y de los niños que trabajarán con este libro, así como las sugerencias de madres y padres de familia que comparten con sus hijos las actividades escolares. La Secretaría de Educación Pública necesita sus recomendaciones y críticas. Estas aportaciones serán estudiadas con atención y servirán para que el mejoramiento de los materiales educativos sea una actividad sistemática y permanente.

Índice

1

REGRESO A LA ESCUELA

Bienvenida, bienvenido a segundo grado

¿Cómo estás? Nos da gusto saludarte ahora que comienza un año escolar.

¿Ya conoces a todos tus compañeros? ¿Te gustaría reunirte para platicar con ellos? ¿Qué piensan acerca del segundo grado que comienza? ¿Qué les gustaría lograr?

Deseamos que tú y tus compañeros aprendan, jueguen, disfruten y encuentren amigos en la escuela.

¿Cómo encontraste tu escuela?

Con el paso del tiempo ocurren cambios. Los cambios se pueden ver en los edificios, las plantas, los muebles, las personas. . .

Ahora que regresas de vacaciones, ¿qué cambios observas en tu escuela? ¿Sabes quién los realizó? ¿Qué opinas de esos cambios?

Reúnete con tus compañeros a platicar acerca de los cambios que ocurrieron en tu escuela durante las vacaciones.

De tu casa a la escuela

Cada camino es distinto. Algunos tienen árboles o sembradíos, otros tienen edificios, calles o letreros.

Dibuja el camino que recorres para llegar de tu casa a la escuela. Marca todo lo que ves en tu camino: casas, puentes, esquinas, ríos, cerros o semáforos.

Escribe tu domicilio.

¿Cómo se llama tu escuela?

Los planos

Los planos son dibujos que nos permiten saber dónde estamos y encontrar un camino para ir a diferentes lugares.

También nos sirven para mostrarles a nuestros amigos cómo es la localidad en la que vivimos.

Observa la ilustración.

¿Te parece que la pirámide está lejos de la casa? ¿Conoces alguna montaña con nieve? ¿Dónde crees que pueda estar el establo de las vacas? Platica con tus compañeros.

La salida y la puesta del Sol

¿Has visto salir el Sol? ¿Qué camino recorre durante el día? ¿Por dónde se pone?

Salgan en grupo al patio de la escuela y ubiquen los puntos por donde sale y se pone el Sol. Después, señalen hacia dónde está la casa de cada uno de ustedes. El punto por donde vemos salir el Sol se llama oriente, el punto por donde se pone se llama poniente. Ambos son puntos cardinales. Observa la ilustración y dí, ¿qué otros puntos cardinales hay?

¿Hacia qué punto cardinal está tu casa?

R2

El plano de la escuela

Haz un plano de tu escuela. Dibuja en él tu salón de clases, los salones de los otros grupos, los sanitarios, la cancha, la cooperativa escolar, la parcela, la biblioteca, la bodega. . .

¿Hacia qué punto cardinal se orienta la puerta de tu escuela?

Todos los niños y las niñas tienen derecho a aprender, a jugar y a convivir en la escuela.

¿Qué podemos hacer en equipo?

¿Qué pueden hacer en equipo tú y tus compañeros? Escribe tus propuestas y compártelas con las niñas y los niños de tu grupo, para que te ayuden a realizar algunas de ellas.

Reúnanse en equipos. Elaboren, con materiales usados, un teatro y títeres de calcetín. Inviten a sus compañeros a ver una función de títeres.

Observa tu salón de clases y piensa, ¿cómo son sus muros, puertas, techos, ventanas o instalaciones eléctricas? ¿Qué materiales tiene? ¿Qué le hace falta?

En grupos de cinco, escojan una actividad para mejorar las instalaciones o los materiales del salón y realícenla en equipo. Escribe en esta página lo que hicieron.

¿Qué actividades realizaron los otros equipos?

En la escuela, las niñas y los niños tienen derecho a ser respetados y tienen el deber de respetar a los que los rodean.

Las reglas del juego

El juego es una actividad que necesita reglas. ¿Te imaginas un juego de canicas o de encantados sin reglas?

Las reglas de algunos juegos se pueden cambiar, si todos los jugadores están de acuerdo.

Reúnete con tus compañeros. Nombren un juego que todos conozcan y expliquen cómo se juega. ¿Podrían jugarlo de otra manera?

Salgan al patio y jueguen en equipos, siguiendo las nuevas reglas. ¿Qué ocurre? ¿Sigue siendo divertido el juego? ¿Qué opinan del cambio de reglas?

R3

Las normas son acuerdos que un grupo de personas establece para que todos convivan con orden y respeto. Las normas también se llaman reglas.

Dibújate aquí, junto con los compañeros de tu equipo, jugando en el patio.
Escribe el nombre del juego que escogieron.

Para convivir en la escuela, necesitamos llegar a acuerdos, es decir, tomar decisiones en común, y establecer reglas que nos permitan decir lo que pensamos y respetar a los demás. Todos podemos convivir.

El reglamento del salón de clases

Piensen en las actividades que realizan diariamente en la escuela, en las necesidades que tienen en el salón o en lo que desean como grupo.

Propongan algunas reglas que faciliten la convivencia, el juego y el trabajo en el grupo.

Escríbanlas en el pizarrón, escuchen la opiniones de todos y dialoguen. Cambien las reglas hasta que estén de acuerdo con cada una de ellas.

Cuando todos estén de acuerdo, escriban e ilustren las reglas en un papel grande.

Cuélguenlo en una de las paredes del aula, para que todos lo vean.

Al conjunto de reglas que ustedes hagan, se le llama reglamento.

Escribe el reglamento de tu grupo

Derechos	Deberes

Si te falta espacio, usa tu cuaderno.

Las niñas y los niños tienen derecho a conocer las situaciones peligrosas y a saber cómo actuar con seguridad.

Seguridad en la escuela

Una escuela segura es aquélla en la que se han eliminado posibles peligros.

En las escuelas hay lugares particularmente peligrosos, que se conocen como zonas de riesgo. Algunos ejemplos son las escaleras, las instalaciones eléctricas, los pozos de agua o las cisternas, los pasillos, cuando tienen el piso resbaloso, o las azoteas. En ellas se deben tomar precauciones especiales.

Organicen un recorrido por la escuela. Descubran juntos las zonas de riesgo y las acciones que pueden provocar accidentes. Regresen al salón de clases y propongan entre todos medidas de seguridad que ustedes mismos puedan respetar.

El Comité de Seguridad

En cada escuela existe un Comité de Seguridad que está formado por niñas, niños, maestras y maestros.

Este Comité se encarga de revisar que no haya vidrios rotos, ni agua tirada en los pasillos; que nadie toque los alambres de la corriente eléctrica o que los niños usen las escaleras sin correr y sin empujarse.

Cuando el Comité encuentra zonas de riesgo busca, con la ayuda de todos, la manera de eliminarlas.

Inviten a miembros del Comité de Seguridad al salón de clases. Platiquen con ellos y decidan qué hacer para mejorar la seguridad en la escuela.

Los simulacros

Los simulacros son ejercicios en los que los niños y los adultos practican lo que deben hacer en caso de presentarse un incendio, temblor o inundación.

En las escuelas se realizan simulacros. Éstos nos preparan para actuar con calma y orden, en caso de accidente o desastre en la escuela.

Reglamento de seguridad

En equipos analicen los peligros que existen en el salón de clases por el uso inadecuado de los materiales o por instalaciones defectuosas: clavos oxidados, puertas, mesas o sillas astilladas, vidrios flojos, pizarrones mal colgados, lápices, reglas y tijeras.

Comenten acerca de accidentes que pueden ocurrir si ustedes actúan sin cuidado. Elaboren de manera colectiva un reglamento de seguridad para evitarlos.

Dibuja un plano de tu escuela y marca el camino por el que la desalojan durante los simulacros.

Ruta de emergencia

Los Niños Héroes
13 de septiembre de 1847

Hace muchos años, antes de que nacieran los abuelos de tus abuelos, el ejército de Estados Unidos invadió el territorio de nuestro país.

Fue un ataque injusto y los mexicanos se defendieron con valentía, pero los invasores avanzaron hacia la ciudad de México.

En la capital del país, en lo alto de una colina, se encuentra el Castillo de Chapultepec. En ese lugar, los soldados mexicanos lucharon con heroísmo. Muchos murieron en la batalla.

Entre quienes dieron su vida por defender a México, había seis estudiantes del Colegio Militar. Eran muy jóvenes. Por eso los llamamos Niños Héroes. Son un ejemplo de amor a nuestra patria.

La Independencia de México

15 y 16 de septiembre de 1810

Un país independiente es gobernado por quienes han nacido en su territorio. Sus habitantes eligen a las autoridades y hacen las leyes.

En 1810, hace casi 200 años, México no era un país independiente. Entonces se llamaba Nueva España, porque los reyes de España ponían a las autoridades y mandaban sobre sus pobladores.

Los nacidos en esta tierra estaban descontentos. Querían ser libres y tener una patria independiente.

Un grupo de personas valerosas decidió luchar por la libertad de México. Su jefe era Don Miguel Hidalgo, cura del pueblo de Dolores, a quien la gente respetaba y quería.

La madrugada del 16 de septiembre de 1810, Don Miguel Hidalgo reunió al pueblo y lo invitó a pelear por la independencia de México. Así empezó una guerra que duró 11 años. Al final, aquellos mexicanos triunfaron y formaron un país libre: nuestra patria.

Por eso, en todas las ciudades y pueblos hay una gran fiesta el 15 y el 16 de septiembre. Celebramos nuestra independencia.

2

LA FAMILIA

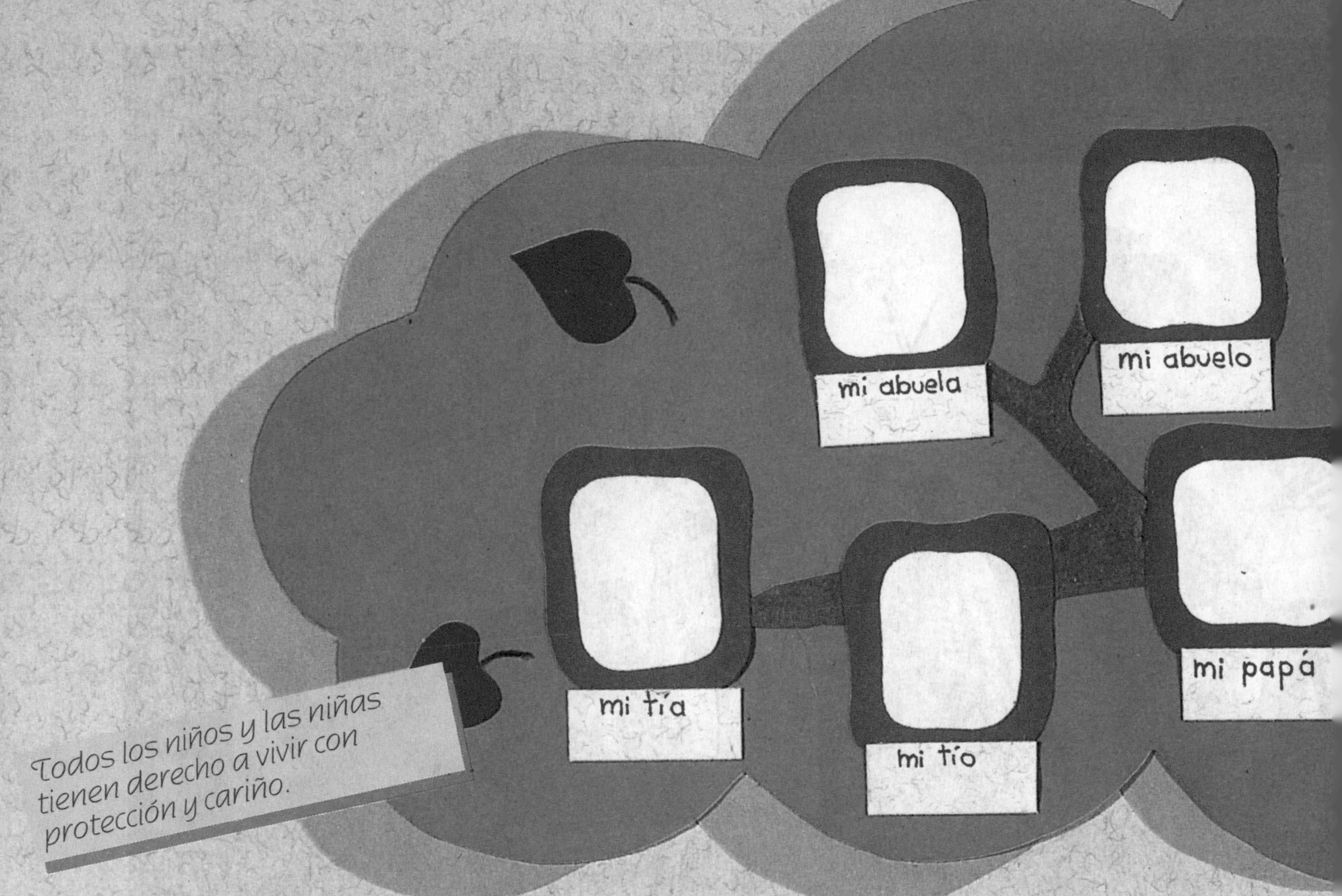

Una familia está formada por padres, hijos, abuelos, tíos, primos, sobrinos...

Todos forman un grupo de personas que conviven, se ayudan, se ofrecen cariño, se interesan unas por otras, se unen para enfrentar problemas, o celebran juntos cumpleaños, éxitos y fiestas tradicionales.

¿Cómo es tu familia? ¿Tienes primos? ¿Quién vive contigo en tu casa?

Platica con tus compañeros y tu maestra o maestro.

mis hermanos y mis hermano

Los niños y las niñas tienen derecho a platicar y convivir con sus padres, aunque éstos no vivan juntos.

mi abuelo

mi abuela

mi mamá

mi tío

mi tía

Dibújale la cara y el cabello al muñeco del centro, para que se parezca a ti. Vístelo con la ropa que tú prefieras.

Dibuja en los cuadros vacíos a tus familiares y anota su edad.

Si no los conoces, pídele a tu papá o a tu mamá que te enseñe fotos o que te platique cómo son, o cómo eran.

Muestra a tus compañeros los dibujos que hiciste.

Invítalos a poner una obra de títeres con los muñecos de los Recortables R4 y R5 .

R4 R5

Las preguntas

Para aprender y conocer, podemos preguntar. Por ejemplo, es posible que alguno de tus tíos o de tus abuelos viva en un lugar lejano.

Aunque no lo conozcas, si preguntas, puedes saber cómo son sus ojos, qué le gusta o a qué se dedica.

¿Tienes algún familiar que viva lejos de tu casa o fuera de tu localidad? Tal vez puedas saber cómo piensa o a qué se dedica si le preguntas a través de una carta.

Platica acerca de este tema con tus compañeras y compañeros.

La historia de tu familia

Todas las familias viven experiencias y acontecimientos que forman su historia.

Tú puedes conocer la historia de tu familia si les pides a tu papá, a tu mamá, a tus tías o a tus tíos, que contesten algunas preguntas o que te enseñen alguna foto o un objeto antiguo que les haya pertenecido.

Pídeles que te cuenten de dónde vinieron tus familiares, cuáles eran sus oficios, qué lenguas hablaban; cómo viajaban, qué comían y qué festejaban.

Las familias pueden ser diferentes; sin embargo, todas son importantes pues sus integrantes se quieren, se ayudan y celebran sus éxitos; es decir, conviven.

Escribe en tu cuaderno la historia de tu familia.

Reúnete con tus compañeros y descubran las semejanzas y las diferencias entre las familias. Dialoguen acerca del respeto que merecen todas las familias.

El plano de tu casa

¿Has dibujado alguna vez el plano de una casa?

Para dibujarlo, imagínate que la estás viendo desde arriba y que el techo es transparente como si fuera de vidrio. Así puedes dibujar las habitaciones, los pasillos y los patios. También puedes dibujar los muebles y otras cosas que te llamen la atención.

Las personas que quieren hacer una casa dibujan el plano de la casa que desean y después la construyen.

También se puede hacer el plano de una casa que ya existe, como la tuya.

Dibuja el plano de tu casa.
Marca con una ✓ el lugar en el que duermes.

Pídeles a tus compañeros que te muestren sus planos.
Reúnete en equipo para dibujar el plano de una casa imaginaria.

Las niñas y los niños tienen derecho a ser escuchados cuando plantean sus necesidades.

Las personas y las necesidades

Las personas somos seres vivos. Podemos movernos, pensar, aprender, querer, platicar y jugar.

También tenemos necesidad de alimento, casa, ropa, amigos, maestros, libros y juguetes.

En familia podemos aprender a cuidarnos, a satisfacer nuestras necesidades y a conocer las de quienes nos rodean.

Los niños y las niñas tienen que explicar a los demás lo que necesitan.

Piensa en tus necesidades y escríbelas con tu mejor letra.

Reúnete con tus compañeros. Platiquen sobre sus necesidades, y en qué forma pueden satisfacerlas. Recorta los botones del Recortable R6 y úsalos o regálalos a quien prefieras.

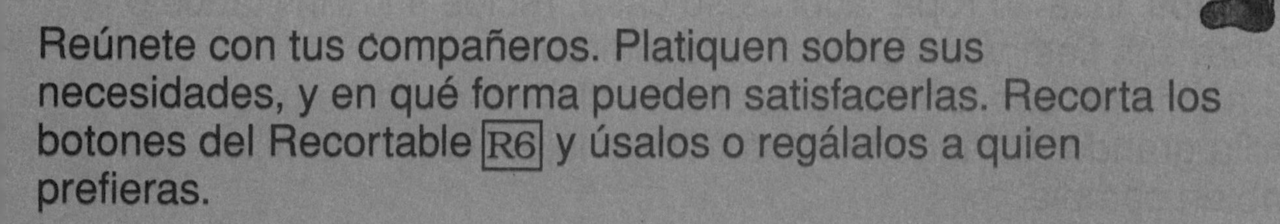

La vida en familia

La vida diaria es distinta en cada familia. En el campo se vive de una manera y en la ciudad de otra. Cada familia consigue sus alimentos, lava su ropa, adorna su casa, recibe a los invitados o celebra sus fiestas de una manera diferente.

La vida de una familia pequeña es distinta de la de una familia grande. Cuando el papá trabaja lejos, la vida familiar también cambia.

¿Cómo es tu familia? ¿Quién prepara la comida? ¿Tienen animales en tu casa? ¿Quién los alimenta? ¿A quién le toca lavar los trastes? ¿Quién te cuida cuando te enfermas?

Reúnete con tus compañeros a platicar acerca de las actividades de sus familias.

La colaboración

Colaborar quiere decir ayudar; es decir, participar para satisfacer las necesidades familiares o realizar un trabajo colectivo.

Por ejemplo, antes de comer todos pueden participar: uno va por las tortillas, otro pone la mesa y otro prepara el agua de limón.

Cuando hay colaboración, el trabajo se distribuye para que salga mejor y nadie se canse.

Forma un equipo para hacer un pequeño teatro guiñol. Uno consigue una caja, otro la recorta, otro la pinta o la cubre con papel, y todos juntos presentan una obra de títeres con los muñecos de los Recortables R4 y R5 .

La colaboración en tu casa

Piensa en tus necesidades y en las de cada una de las personas que viven en tu casa.

¿Qué tareas son necesarias para lograr que la casa esté limpia, haya comida en la mesa, todos tengan ropa y tiempo de descanso, estudio y juego?

¿Cómo puede colaborar cada miembro de tu familia?

Inventa un reglamento en el que distribuyas entre todos el trabajo. Ten cuidado de darle a cada quien una tarea adecuada con su edad. Escribe en tu cuaderno los nombres de tus familiares y las tareas que les tocaron. Usa tu mejor letra y adorna la página con dibujos.

Platica acerca de este tema con los que viven en tu casa. Invítalos a leer las páginas de tu libro que hablan de la colaboración y el diálogo.

Las niñas y los niños tienen derecho a conocer los avances de la ciencia.

Los aparatos que usamos

Todos los días usamos aparatos que facilitan nuestra vida. Unos son simples como las plumas o los abrelatas. Otros son más complicados como los automóviles o los televisores.

Hay muchos aparatos útiles que nos sirven en la casa o en la escuela, en la ciudad o en el campo.

Pregúntales a tus familiares qué aparatos usan en su trabajo. Pídeles que te expliquen para qué los usan.

Localiza los distintos aparatos que usan en tu casa.
Dibújalos aquí y explica para qué sirven.

Las costumbres

En algunas familias, el chocolate se prepara con el molinillo; en otras, se utiliza la licuadora. A veces, lo hacen con agua; otras con leche. ¿Cómo preparan el chocolate en tu casa?

La manera de preparar el chocolate en una familia es una costumbre; también la forma de saludarse o de festejar los cumpleaños.

La manera en que una comunidad prepara el chocolate es una tradición. Las fiestas del pueblo también son tradiciones.

Las costumbres y las tradiciones se transmiten de padres a hijos.

¿Cómo preparan el chocolate en tu comunidad? ¿Cómo festejan el día de muertos?

Entrevista a un familiar.

Pregúntale acerca de sus costumbres: cuáles conserva y cuáles ha perdido, y si tiene costumbres nuevas.

Registra aquí la entrevista que hagas.

Entrevisté a ______________________________

que tiene __________ años.

Me dijo que acostumbra ____________________

____

____

____

____

Una costumbre que ha perdido es __________

____

____

____

Comparte con tus compañeros lo que aprendas.

Seguridad en la casa

En la casa, como en la escuela, existen zonas de riesgo.

La azotea, los baños o la cocina son lugares que deben vigilarse con especial atención para evitar accidentes.

Es importante cuidar la seguridad en la casa, particularmente cuando en ella viven niños pequeños que todavía no han aprendido a reconocer el peligro.

Para que una casa sea segura, debemos eliminar las zonas de riesgo. Así se evitan caídas, resbalones, quemaduras, cortadas, piquetes con fierros oxidados, ingestión de sustancias tóxicas como detergentes, pinturas o blanqueadores, contacto directo con cables de luz desprotegidos o picaduras de animales dañinos.

Cada casa necesita medidas especiales de seguridad.

Los niños y las niñas pueden participar en la seguridad de su casa.

Recorre tu casa.

Descubre las zonas de riesgo y regístralas.

Platica con tus familiares y propongan soluciones. Coméntalas con tus compañeros de la escuela.

Cristóbal Colón

12 de octubre de 1492

América y Europa son territorios enormes, que se llaman continentes. Están separados por un mar todavía más grande, llamado Océano Atlántico.

Hace muchísimos años, la forma de vida de los habitantes de América era muy distinta de los que habitaban en Europa. Sus ciudades y edificios eran diferentes. Tampoco se parecían en sus costumbres, ni en su forma de vestir y trabajar.

Lo interesante es que ni los habitantes de América, ni los de

Europa, sabían que al otro lado del Océano vivían otros seres humanos, porque nadie había podido cruzar el ancho mar.

En el año de 1492, un marino europeo, llamado Cristóbal Colón, fue el primero en viajar desde España hasta América. Navegó durante 70 días en tres barcos de vela, acompañado de 120 marineros.

Colón llegó a América el 12 de octubre. Recordamos este día porque desde entonces los habitantes de los dos continentes pudieron comunicarse y aprender unos de otros.

3

SEGUIMOS CRECIENDO

Nuestro cuerpo

Las personas podemos ver, respirar, pensar, trabajar, jugar, gracias a nuestro cuerpo.

Cuando el cuerpo de los niños está sano, crece. Es decir, aumenta de tamaño día tras día. Cuando los niños están sanos tienen energía, no les duele nada, duermen con tranquilidad, tienen apetito y disfrutan del juego y del estudio.

Para estar sanos, es necesario comer alimentos nutritivos, descansar, mantenernos limpios, practicar ejercicio y divertirnos.

R7 R8 R9

Los huesos

Las partes duras que forman nuestro cuerpo se llaman huesos.

Tenemos más de 200 huesos diferentes que le dan sostén al cuerpo.

Al conjunto de huesos se le llama esqueleto.

Cuando crecen los huesos, el cuerpo también crece.

Tócate los brazos, las piernas, las manos, la cabeza.
¿Sientes tus huesos?

Mira esta hoja contra la luz

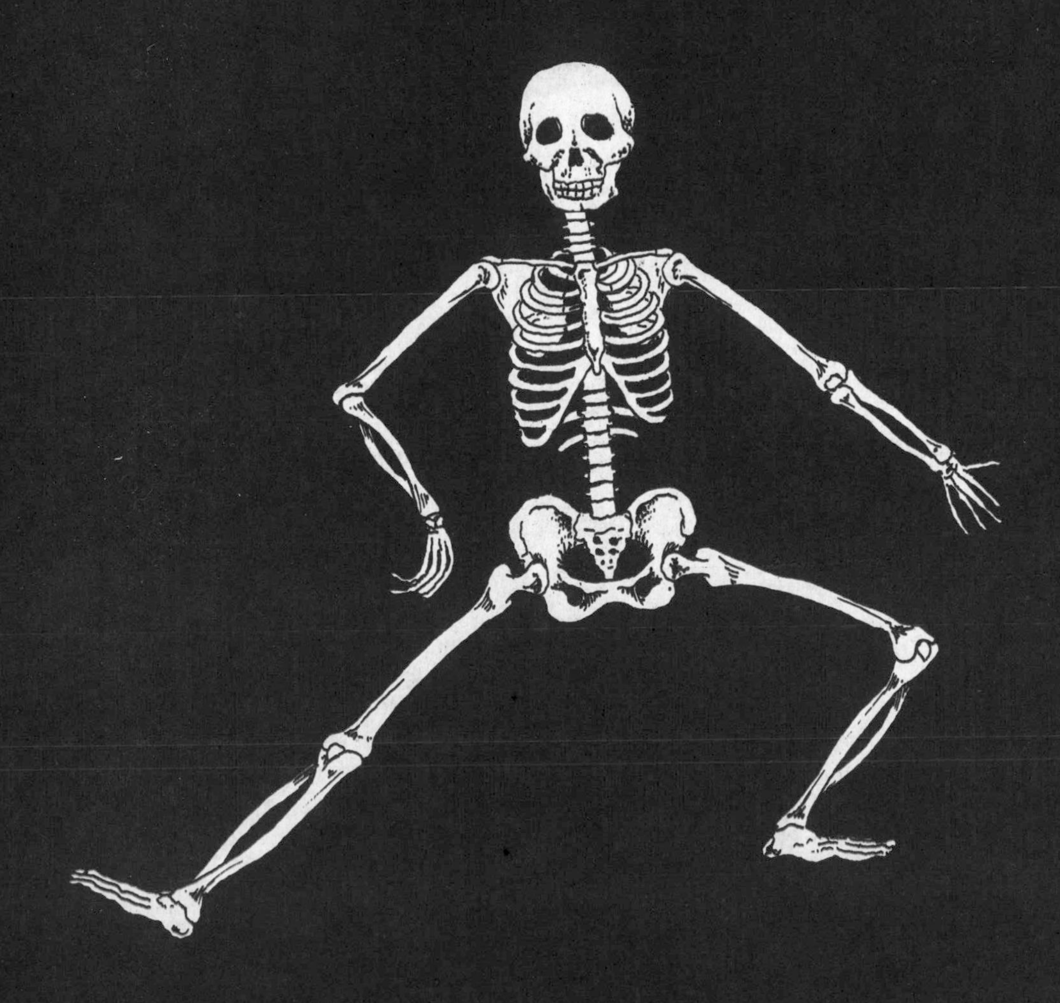

Los músculos y la piel

Los huesos están cubiertos de músculos que nos permiten mover piernas, brazos, dedos, cuello o cabeza.

Toca tus músculos. ¿Cómo los sientes?

Los músculos están cubiertos por piel. Gracias a la piel podemos sentir frío, calor, caricias o dolor.

Mira esta hoja contra la luz

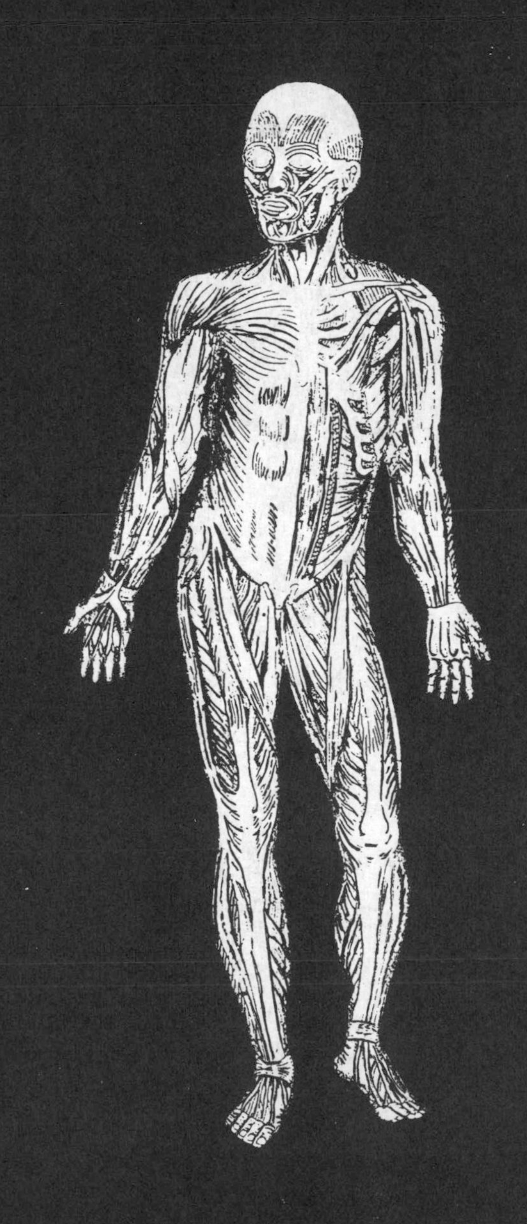

Cuando el cuerpo se enferma

Las niñas y los niños tienen derecho a ser atendidos durante sus enfermedades.

¿Qué enfermedades has tenido? ¿Cómo te sientes cuando estás enfermo? Escríbelo.

____

____

____

¿Por qué crees que nos enfermamos? Platícalo con tus compañeros.

La alimentación

La vida sana, sin enfermedades, depende en mucho de la alimentación.

Para crecer sanos, nuestro cuerpo necesita alimentos de tres tipos diferentes:

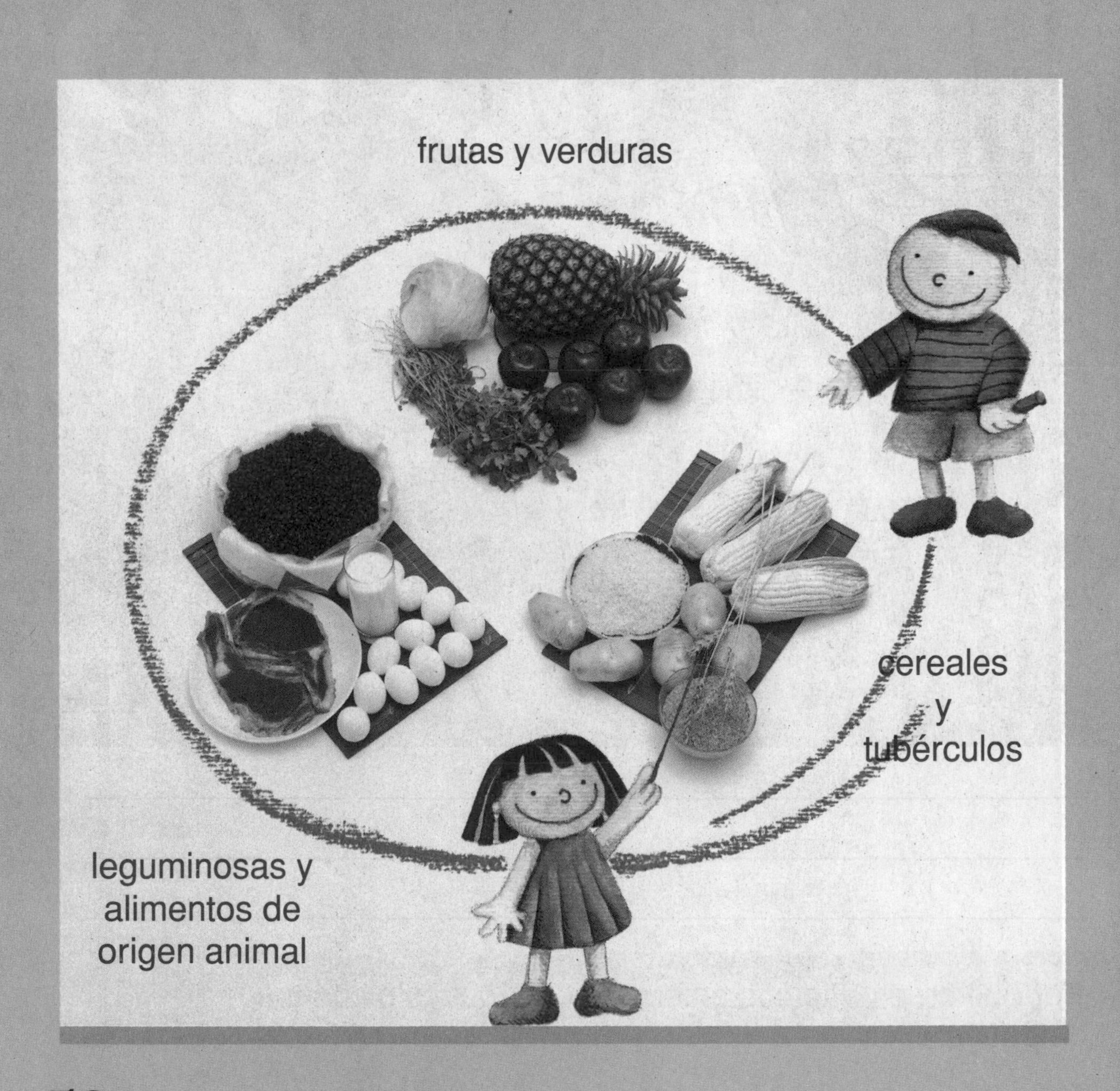

Pertenecen al grupo de las frutas y verduras la lechuga, el chayote, la manzana, el pepino, la naranja o el jitomate.

El maíz, el trigo, el amaranto, el centeno, el camote, la papa, pertenecen al grupo de los cereales y tubérculos.

Los frijoles, las lentejas, los huevos, el pescado, el chorizo, la leche, el queso y la carne de pollo, forman parte del grupo de las leguminosas y alimentos de origen animal.

Para lograr una buena alimentación es recomendable combinar alimentos de los tres grupos.

Dibuja sobre esta mesa un menú variado.

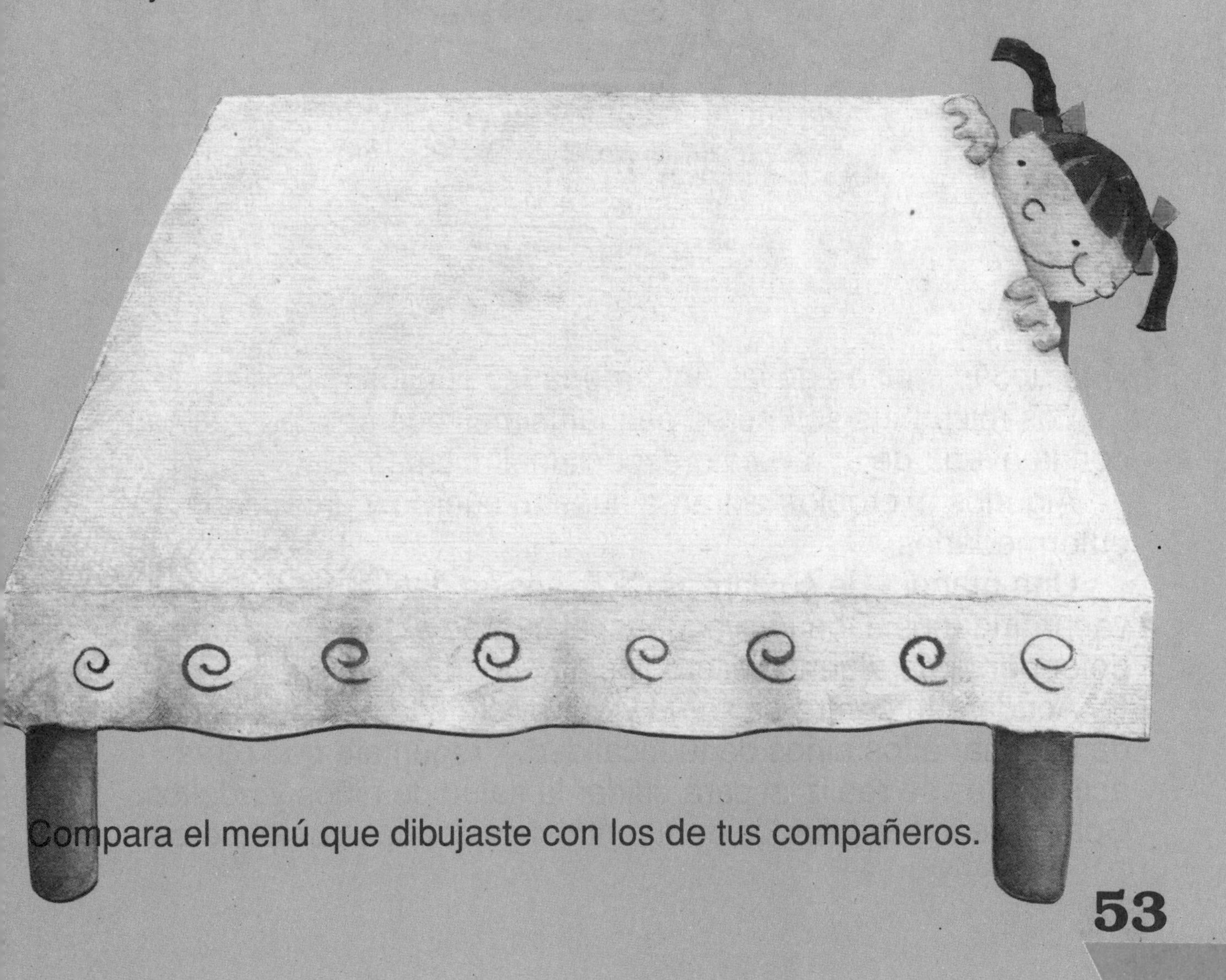

Compara el menú que dibujaste con los de tus compañeros.

Los niños y las niñas tienen derecho a recibir todas las vacunas necesarias para su salud.

Los microbios

Una de las causas de las enfermedades son los microbios.

Los microbios son seres pequeñísimos que sólo pueden verse con la ayuda de un aparato especial: el microscopio.

Algunos microbios entran a nuestro cuerpo y producen enfermedades.

Una manera de cuidarnos de la acción dañina de los microbios es vacunándonos. Con las vacunas, el cuerpo está preparado para defenderse de algunos microbios.

Acude a tu centro de salud y entrevista a la persona encargada de vacunar a los niños de tu localidad. Pregúntale qué otras actividades se realizan para cuidar la salud de niños y adultos. Comparte los resultados de tu entrevista con tus compañeros.

La higiene

Las niñas y los niños deben aprender a cuidar su salud.

Otra manera de conservar la salud es cuidar la higiene personal. Es decir, lavarse muy bien las manos antes de comer y después de ir al baño, bañarse con frecuencia, tener las uñas siempre limpias y recortadas y cepillarse con paciencia y cuidado los dientes, después de cada comida.

En la casa se deben lavar frutas y verduras, hervir el agua que bebemos y conservarla cubierta, para que no se ensucie con el polvo y los microbios del aire. También debemos asear nuestra casa para conservarla limpia.

Cuando cuidamos nuestra higiene, evitamos que nuestro cuerpo se enferme.

Tu propia historia

Cada uno de nosotros tiene su propia historia. Las niñas y los niños tienen un día especial en el que nacieron, una fecha determinada en la que se les cayó el primer diente, o un año en el que entraron a la escuela por primera vez.

Cada día es parte de tu historia personal. Esta historia se puede registrar en un cuaderno, con palabras y dibujos. O en un álbum con fotografías y objetos, que nos recuerden días especiales.

Registra un momento o fecha importante de tu historia personal e ilústrala.

Comparte con tus compañeros lo que escribiste.

El inicio de la Revolución Mexicana
20 de noviembre de 1910

Los habitantes de un país tienen el derecho de elegir a sus gobernantes. Las personas expresan su opinión mediante el voto. Todos tenemos la obligación de respetar la decisión de la mayoría.

En 1910 los mexicanos no elegían con libertad a sus gobernantes. Una sola persona, Don Porfirio Díaz, había sido Presidente de México durante 30 años. La mayoría de la gente quería un cambio de gobierno y exigía respeto a su opinión.

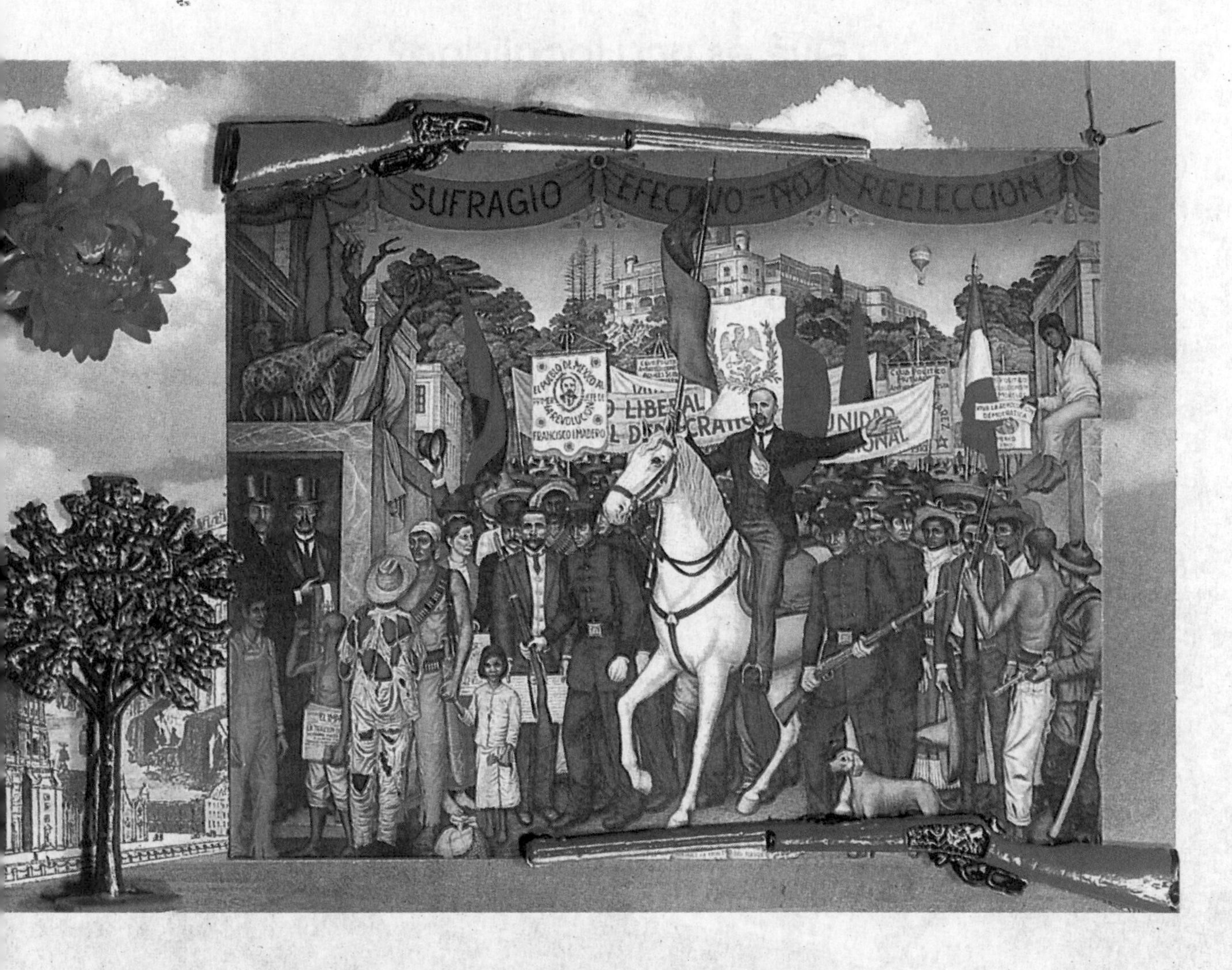

El 20 de noviembre, Don Francisco I. Madero pidió a los mexicanos luchar contra el mal gobierno. Mucha gente lo siguió, porque era un hombre justo y valeroso, digno de confianza. Así se inició la Revolución Mexicana.

Madero y sus compañeros nos enseñaron que el voto debe ser respetado y que los gobernantes deben obedecer las leyes.

4

LA LOCALIDAD

¿Qué es una localidad?

Una localidad es un lugar en donde vive un grupo de familias. En ella, hay casas, comercios, centros de salud, caminos, parques y oficinas de correo.

Puede estar en lo alto de una montaña, a la orilla del mar, en una isla o en un valle.

Algunas localidades se parecen entre sí; otras son muy diferentes. Unas se encuentran en el campo; otras son ciudades o colonias.

Los nombres de las localidades

Según su tamaño y el lugar en donde están situadas, las localidades pueden ser rancherías, pueblos, barrios o colonias.

Las localidades tienen nombres propios, nombres de héroes, de santos, de paisajes o de fechas históricas.

En México hay localidades con nombres indígenas, como Erongarícuaro, Teotihuacan, Amecamécatl o Yaxilán.

El nombre de tu localidad

¿Cómo se llama tu localidad?

Consulta con los adultos que te rodean y pregúntales acerca del nombre de tu localidad. ¿Qué significa? ¿Quién decidió ponerle así? ¿Desde cuándo tiene ese nombre?

Escribe el nombre de tu localidad y la historia que te contaron.

¿Cómo es tu localidad?

¿Es una ranchería, un pueblo, un barrio, una colonia?

Recorre sus calles, observa las casas y los materiales con los que están hechas, los animales, los árboles, los jardines y los medios de transporte.

Elaboren en equipos el plano de la localidad en donde viven. Pongan un letrero con su nombre.

Comparen los planos de los diferentes equipos.

¿Se parecen? ¿Son distintos?

¿Qué hay en las localidades?

Algunos objetos de tu localidad fueron hechos por mujeres y hombres; por ejemplo, los vestidos y las casas. Estos son productos culturales.

También encuentras árboles, jardines, pasto y manantiales. Todo esto forma parte de la naturaleza de una localidad.

¿Qué hay en tu localidad?

Recorre tu localidad y con la cámara fotográfica del Recortable R10, juega a sacar "fotos" de personas, animales, plantas, objetos o lugares que te gusten.

Dibújalos aquí y escribe sus nombres.

Muestra tus "fotos" al grupo y explícalas. ¿Cuáles tienen elementos culturales? ¿Cuáles naturales?

Elabora un álbum con las "fotos" que tomaste.

R10

Los símbolos

Cuando queremos comunicar una idea sin usar palabras, podemos hacer un dibujo que la represente. Se llama símbolo. Este es uno, ¿qué significa?

Por ejemplo, cuando vemos la figura  pensamos en un hospital, una enfermera, una doctora o un doctor.

La figura  representa el bosque. Cuando vemos  pensamos en una biblioteca. Y  les transmite a los automovilistas: "disminuya su velocidad, por aquí pasan niños que van a la escuela". Estos dibujos son símbolos.

Los símbolos de tu localidad

Dibuja los símbolos que encuentres en tu localidad y comenta lo que representan.

Completa el plano de la página 63 con los dibujos de los símbolos. Colócalos en el lugar que les corresponde.

¿Quién vive en las localidades?

En las localidades viven niñas, niños y adultos de diferentes edades.

Al grupo de personas que vive en una localidad se le llama comunidad.

En una comunidad puede haber obreros, campesinos, médicos, carteros, maestros, alfareros o músicos.

Tú y tus compañeros de la escuela forman parte de la comunidad que habita tu localidad.

Con el apoyo de la cámara fotográfica del Recortable R10, saca "fotos" a algunas de las personas que viven o trabajan en tu localidad.

Escribe sus nombres y a qué se dedican.

Compara tus "fotos" con las de tus compañeros.

La historia de las localidades

Las localidades cambian con el tiempo. El paisaje se modifica porque los habitantes siembran, abren caminos, construyen presas, casas o edificios.

La población cambia porque algunos de sus habitantes mueren o viajan a otros lugares; nacen niñas y niños o llegan nuevas familias.

También las costumbres cambian, aunque algunas permanecen durante muchos años.

Todo lo que cambia y lo que permanece, forma la historia de las localidades.

¿Conoces la historia de tu localidad?

Busca personas mayores que hayan vivido en tu localidad durante muchos años y pídeles que te ayuden a contestar estas preguntas.

¿Cómo era el paisaje hace veinte años?

____

____

____

____

¿Cómo eran los caminos? ¿Qué transportes se utilizaban para viajar?

____

____

____

____

¿Qué leyendas se cuentan en tu localidad?

____

____

____

____

¿Cuáles son las fiestas de tu localidad? ¿Cómo se celebran?

____

____

____

____

Formula otras preguntas y escribe en tu cuaderno la historia de tu localidad. Coméntala con tus compañeros.

Los objetos cuentan historias

Los edificios, los aparatos, las herramientas y la ropa dan información acerca de las personas que los usaron y de sus costumbres, como si contaran historias.

¿Qué historias te cuentan estos objetos?

Pídeles a tus familiares que te platiquen acerca de estos objetos.

Un pequeño museo

¿Te gustaría hacer un museo en tu salón?

En equipos busquen objetos interesantes y llévenlos al salón de clases, con el permiso de sus dueños.

Clasifíquenlos y colóquenlos sobre tablas o mesas. Escriban los nombres sobre las etiquetas del Recortable R11 .

Inviten a los niños de otros grupos a conocer este museo.

Ofrezcan explicaciones a los visitantes y escuchen sus comentarios.

¿Conoces algún museo?

R11

Derechos y deberes en la localidad

Para que los habitantes de una localidad convivan, es necesario que se conozcan, dialoguen y se organicen para resolver problemas comunes. También deben conocer y ejercer sus derechos, así como cumplir sus obligaciones.

Por ejemplo, las personas tienen el derecho de elegir a sus gobernantes y de utilizar los servicios públicos. También pueden exigir que las autoridades las respeten.

Por otro lado, las personas deben cuidar estos servicios, opinar y participar en actividades comunitarias para el mejoramiento de la localidad.

Muchas de las comunidades indígenas de nuestro país toman sus decisiones en grupo, otras comunidades lo hacen por medio de sus representantes. Organiza con tus compañeros una asamblea y dialoguen acerca de los derechos y responsabilidades que tienen los niños en su localidad.

Planteen sus necesidades y propongan soluciones colectivas.

Las niñas y los niños tienen derecho a jugar diariamente.

El juego

Una parte importante de la vida de niños y adultos es el juego.

Las niñas y los niños juegan porque tienen energía, imaginación, necesidad de conocer a otros niños y les gusta divertirse. Los adultos juegan para descansar y convivir con otras personas.

Algunas veces para jugar usamos juguetes, otras veces saltamos, giramos, trepamos o corremos, sin usarlos. Siempre en nuestros juegos necesitamos imaginación.

¿A qué juegas tú? ¿Con quién juegas?

Los juegos y los juguetes también tienen historia

Platica con algún abuelo o abuela. Pídeles que te cuenten cómo jugaban cuando eran niños.

¿Cómo eran sus juguetes? ¿Tenían tiempo para jugar?

¿Juegan todavía?

Tal vez puedan enseñarte alguno de sus juegos o juguetes favoritos.

Lleven al salón de clases algunos de sus juguetes preferidos y platiquen su historia.

El trabajo

Para trabajar, las personas aprovechan los recursos que ofrece la naturaleza y emplean herramientas o aparatos que facilitan sus actividades.

Cuando trabajamos, transformamos la naturaleza.

Por ejemplo, podemos construir una presa para almacenar agua sobre un valle o abrir un túnel que cruce por el centro de una montaña. El trabajo también puede convertir una región árida en una región cultivable.

Los oficios y las profesiones

Hay campesinos, zapateros, médicos, plomeros, albañiles, maestros, choferes, investigadores, locutores, jardineros, actores, músicos, carpinteros, empleados, pescadores.

El plomero y las costureras practican oficios; la maestra y el médico, profesiones.

Los oficios y las profesiones se aprenden de diferentes maneras: en las escuelas, en los talleres y, poco a poco, en la familia.

Lo que estudias en tu escuela te servirá para aprender cualquier oficio o profesión.

Platica con tus compañeros sobre los oficios y las profesiones que se practican en la localidad. Escríbanlo en el cuaderno.

Las herramientas y los aparatos

Cada oficio es distinto y necesita herramientas diferentes.

Encuentra el camino que une al carpintero con su martillo.

Forma equipos y juega "memoria" con las barajas de los Recortables R12 y R13. Une a los trabajadores con sus herramientas.

Distintos tipos de trabajo

Algunos trabajos producen objetos que satisfacen las necesidades de la vida diaria: libros, juguetes, aparatos de radio, casas, zapatos, herramientas.

Unos productos se quedan en las localidades para que los usen sus habitantes.

Otros se transportan y son llevados a los mercados de localidades vecinas o lejanas.

Visita el mercado de tu localidad. Observa los productos que se venden y saca "fotos" con la cámara del Recortable R10 .

Escribe en tu cuaderno una lista de los productos hechos en tu localidad y otra de los que vienen de otros lugares.

Otros trabajos ofrecen servicios, es decir, apoyos para la vida diaria.

El electricista, el encargado de recoger la basura, el repartidor de gas, el cartero, el maestro, el músico o el médico, con su trabajo, nos ofrecen servicios.

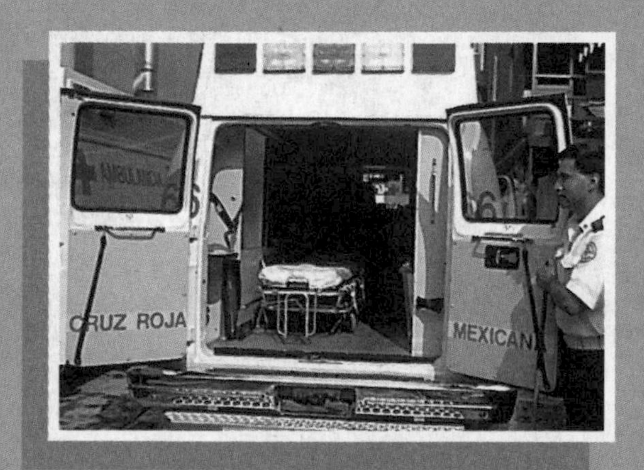

Recorre tu localidad e identifica los servicios que se prestan. ¿Quiénes los ofrecen?

¿En qué te gustaría trabajar cuando seas adulto? Comenta con tus compañeros.

Para todo trabajo se siguen pasos de un proceso

Casi todos los productos se hacen con la participación de distintos trabajadores y siguiendo un proceso.

Por ejemplo, si en un pueblo hace falta una canoa para cruzar el río, se necesita que un leñador consiga el tronco de un árbol. Un carpintero le debe dar la forma adecuada. Un herrero hará la argolla para amarrarla a la orilla del río. Tal vez el pueblo quiera festejar el día del estreno y entonces se necesitará un grupo de músicos.

Un producto de tu localidad

Organiza con tu maestra o maestro y compañeros una visita a un taller o a una fábrica. Pregunta qué productos elaboran y observa el proceso que se sigue.

Dibújalo aquí.

Explica a tus compañeros tu dibujo.

¿De qué otros productos conoces el proceso de elaboración?

La prevención de accidentes

En las fábricas, las oficinas, el campo o los talleres, hay máquinas, instrumentos o materiales que pueden resultar peligrosos cuando se manejan con descuido.

Los accidentes de trabajo se pueden prevenir.

Los trabajadores deben vestirse con ropa adecuada, aprender a usar con cuidado las máquinas, manejar materiales o sustancias tóxicas con guantes o con pinzas, usar botas o mascarillas especiales siguiendo las indicaciones de seguridad.

Cuando los trabajadores conocen los peligros, pueden actuar con cuidado para prevenir accidentes y tener seguridad.

También los niños y las niñas pueden aprender a prevenir los accidentes en los centros de recreo y en las vías públicas.

Organicen junto con su maestra o maestro un recorrido por la localidad y visiten un parque, una cancha deportiva o algún centro de recreación.

Pongan atención a los peligros que encuentren.

Regresen a la escuela y dialoguen.

Elaboren un reglamento de seguridad para las vías públicas y los centros de recreo cercanos a su escuela.

Las niñas y los niños tienen derecho a vivir en un ambiente sano.

El ambiente

El ambiente está formado por suelo, agua, sol y aire. Gracias a estos elementos existe la vida sobre la Tierra.

Cuando decimos "naturaleza" estamos hablando del ambiente, con todos los seres vivos: personas, plantas y animales. También forman parte de la naturaleza los elementos no vivos: las piedras, las rocas, las arenas o el agua de los ríos, lagos y mares.

En la naturaleza hay distintos paisajes. Los paisajes cambian según sean las plantas, los animales, el agua, el suelo o el clima de las localidades.

Hay climas calientes o fríos, húmedos o secos, según la cantidad de lluvia que cae y el calor que se siente.

¿Cómo es el clima de tu localidad? ¿Llueve con frecuencia? ¿Hace calor? ¿Qué plantas y animales viven y cómo se adaptan al clima de tu localidad? ¿Cómo se visten las personas de tu comunidad? ¿Cómo construyen sus casas? ¿Por qué?

Dibuja aquí tu paisaje.

Los cambios del ambiente

El ambiente cambia de manera natural. Por ejemplo, el viento y el agua producen cambios al llevarse la tierra de un lugar a otro; o el rayo, al caer en un bosque y provocar un incendio.

Los terremotos, los huracanes o las sequías prolongadas también producen cambios en el ambiente.

¿Has notado algún cambio natural en tu ambiente?

Pregunta a tus vecinos si recuerdan algún incendio, sequía o terremoto que haya afectado el ambiente de tu localidad.

El ambiente también cambia por la acción de las personas.

Entre las acciones humanas que modifican el ambiente están la construcción de lagos artificiales, fábricas o ciudades, que alteran el suelo, el aire, el agua, el clima y el paisaje.

Es necesario cuidar que nuestras acciones no rompan el equilibrio de la naturaleza. Los cambios que se producen en el ambiente afectan a todos los habitantes del planeta Tierra.

Haz un recorrido por tu localidad. Observa lo que te rodea: a los seres vivos y a los no vivos.

Coméntalo con tus compañeros. Escriban lo que opinan acerca del ambiente que observaron.

El cuidado del suelo

Una manera de cuidar el suelo es sembrarlo con plantas y árboles, porque sus raíces impiden que el agua y el viento se lleven la tierra.

También lo cuidamos cuando separamos la basura en bolsas o botes, para que la recoja el basurero.

Recuerda no tirar en el suelo vidrios, plástico ni latas.

En algunos casos, puedes lavar muy bien los envases y utilizarlos para guardar semillas, hacer macetas o portalápices.

Los niños y las niñas pueden colaborar en el cuidado del suelo.

En grupo, realicen un recorrido por la localidad para averiguar a dónde va a parar la basura y qué se hace con ella.

Dialoguen y elaboren un periódico mural en el que presenten algunos problemas sobre el cuidado del suelo y propongan soluciones.

El cuidado del aire

Para no enfermarnos, necesitamos aire limpio. Sin embargo, con frecuencia vivimos de manera poco cuidadosa y lo contaminamos.

Cuando arrojamos basura sobre la tierra, propiciamos la presencia de microbios y malos olores en el aire.

Cuando usamos en exceso los automóviles, ensuciamos el aire.

Cuando no utilizamos baños o letrinas, dejamos excrementos sobre la tierra, que al secarse forman parte del aire que respiramos.

Las niñas y los niños pueden participar, junto con los adultos, en el cuidado del aire.

Podemos participar en el cuidado del aire de distintas maneras.

No quemar basura, usar baños o letrinas, trasladarnos en bicicleta, son acciones en favor de la limpieza del aire.

Para limpiar el aire y alegrar el paisaje en las ciudades, podemos cultivar enredaderas y plantas de hojas anchas en las azoteas o en las ventanas de las casas.

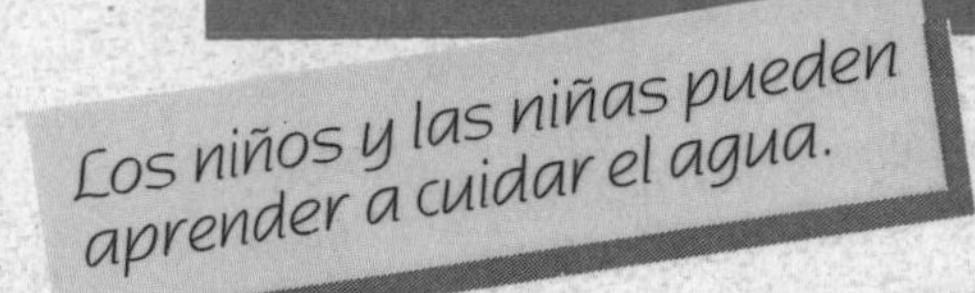

El cuidado del agua

El agua es indispensable para la vida de personas, plantas y animales. Sin embargo, el agua contaminada se convierte en un elemento dañino porque transporta sustancias venenosas o microbios que causan enfermedades.

Los desechos industriales y algunos insecticidas y fertilizantes contaminan el agua.

La basura tirada sobre la tierra produce sustancias dañinas que, con la lluvia, llegan hasta los mantos de agua que corren debajo de la tierra.

Todos debemos participar en el cuidado del agua. Podemos, por ejemplo, dejar de usar el excusado como si fuera basurero y evitar arrojar en él cabellos, solventes, vidrios o plásticos.

Para lavar la ropa, podemos usar jabón en lugar de detergentes. Al lavarnos las manos, cepillarnos los dientes y bañarnos, debemos usar sólo el agua que necesitamos.

Platica con tus compañeros acerca del agua de tu localidad. Propongan soluciones para cuidarla.

Elaboren carteles que recuerden la importancia del cuidado del agua, ilústrenlos y colóquenlos en lugares públicos, para que mucha gente los vea.

Los estados del agua

El agua es un elemento del ambiente que cambia de estado.

Por la acción del frío, se vuelve sólida y se convierte en hielo. El granizo y las paletas heladas son agua sólida.

Puede volverse vapor, por la acción del calor. Las nubes están formadas por vapor de agua.

Deja de ser vapor y regresa a su estado líquido, por la acción del frío. La lluvia es agua líquida que cae sobre la tierra.

Gracias a esta cualidad de cambiar de estado, el agua puede viajar.

Corre por los ríos hasta llegar al mar. Ahí, por la acción del calor del Sol, se convierte en vapor, viaja en forma de nube movida por el viento, regresa a la tierra en forma de gotas de lluvia y da vida a plantas, personas y animales.

Si el agua no se evaporara, no podría regresar a la tierra y ésta se secaría hasta convertirse en desierto.

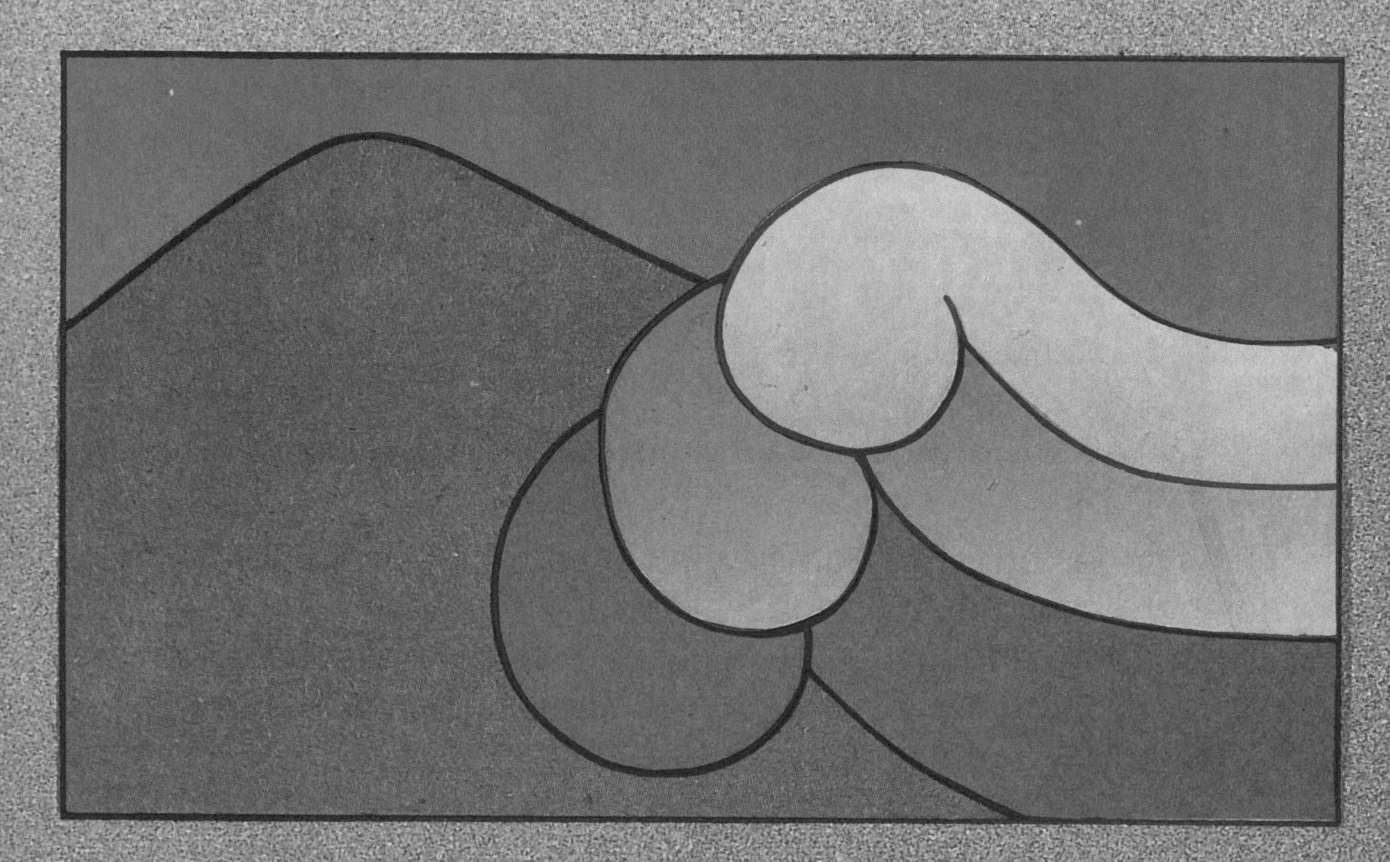

Reúnete con tus compañeros. Consigan pedacitos de hielo y frótenlos entre las manos sobre platos vacíos. ¿Qué le pasa al hielo? ¿Por qué? ¿Qué queda en sus manos? ¿Qué cae en los platos?

La Constitución Mexicana

5 de febrero de 1917

Tú ya sabes que en la familia y en la escuela existen normas que nos permiten convivir en paz y libertad.

Los mexicanos tenemos también otras normas, que deben ser respetadas en todo el país. Son nuestras leyes y están escritas en la Constitución.

La Constitución señala cuáles son los derechos, las libertades y las obligaciones que tenemos los mexicanos.

El Día de la Bandera

24 de febrero

La bandera es el símbolo de un país. Representa su historia, sus paisajes y su gente.

En todas las escuelas de México, niñas y niños como tú, empiezan cada semana rindiendo honores a la bandera.

Los mexicanos respetamos a nuestra bandera. Nos emociona verla porque es el símbolo de México.

5

LAS PLANTAS Y LOS ANIMALES

Las personas, las plantas y los animales somos seres vivos: nacemos, crecemos, maduramos, envejecemos y morimos.

Respiramos y nos alimentamos, para tener energía, crecer y realizar las actividades de la vida diaria.

También tenemos un sistema circulatorio que recorre nuestro cuerpo, llevando todo lo que necesitamos para vivir.

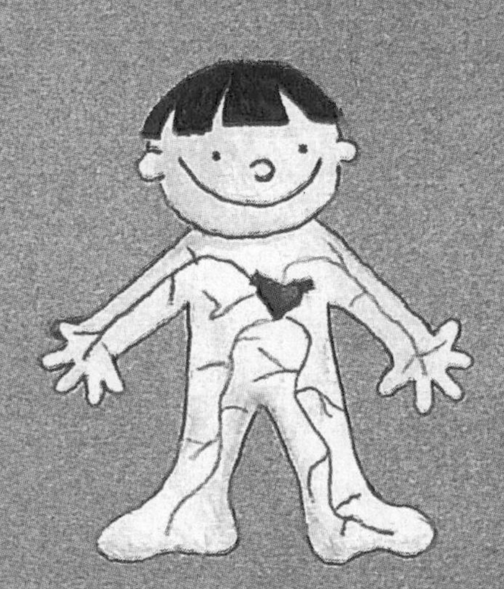

Todos debemos cuidar la vida de plantas y animales.

Otra función de los seres vivos es la excreción. Gracias a ésta, pueden salir del cuerpo los restos de alimentos que ya no necesitamos.

Los seres vivos somos capaces de reproducirnos, es decir, de tener hijos.

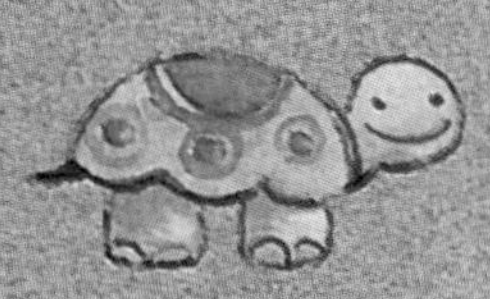

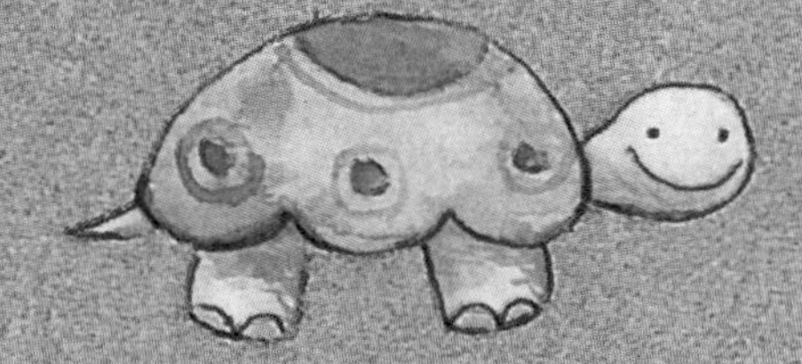

La respiración, alimentación, crecimiento, circulación, excreción y reproducción, son funciones que realizamos todos los seres vivos de la Tierra.

Experimenta y comprueba

Para comprobar que los seres vivos nacen y crecen puedes hacer un experimento. Consigue semillas de trigo, lenteja y frijol. Humedece algodón, un trozo de tela gruesa o una esponja; coloca las semillas sobre la superficie húmeda y obsérvalas diariamente durante dos semanas. Conserva húmeda la superficie.

Registra en tu cuaderno el día en que iniciaste tu experimento y el día en que aparecieron los primeros brotes de las semillas. ¿Cuántos días transcurrieron?

Dibuja las diferentes plantas que nacieron y compara el tamaño de cada una de ellas.

Cuando termines tu experimento, plántalas en la tierra.

Observa durante un rato un animal que viva cerca de tu casa: un pollo, un gato, un guajolote. . .

Registra en tu cuaderno lo que más te llamó la atención del animal mientras lo observaste. También anota qué comió y cuántas veces excretó. Compara tu registro con el de tus compañeros.

¿Para qué sirve este experimento?

Si quieres comprobar la circulación de sustancias en una planta, pon un tallo de apio o una flor de alcatraz en agua con colorante vegetal. Registra tus observaciones en el cuaderno.

Las plantas y los animales de tu localidad

Recorre tu localidad y observa las plantas y los animales que encuentres. ¿Cómo son? ¿Cómo se llaman? ¿En qué se parecen? ¿En qué son diferentes?

Dibújalos y escribe sus nombres, según los ejemplos.

Semejanzas y diferencias entre las plantas y los animales

Las plantas y los animales son seres vivos. Sin embargo, tienen diferencias: los animales se mueven para conseguir su alimento; en cambio, las plantas permanecen en un mismo sitio, porque elaboran su propio alimento a partir del agua, la tierra y los rayos del Sol.

Seres acuáticos

Los seres vivos que habitan el mar, los ríos o los lagos, se llaman seres acuáticos.

¿Conoces algunos? ¿Cómo son sus cuerpos? ¿Cómo se mueven? ¿De qué se alimentan? Platica con tus compañeros.

Los seres acuáticos tienen algo en común: encuentran en el agua lo que necesitan para conservar la vida y reproducirse.

Dibuja en tu cuaderno un animal que viva en el agua y escribe su nombre.

Seres terrestres

Los seres vivos que habitan los bosques, los desiertos, las praderas, o las selvas, se llaman seres terrestres.

¿Qué animales terrestres conoces? Recorre tu localidad con la cámara del Recortable R10. Saca "fotos" de animales terrestres y obsérvalas.

¿En qué se parecen los animales? ¿Cómo se relacionan?

Muestra las "fotos" a tus compañeros y dialoga con ellos acerca de la convivencia de personas, plantas y animales sobre la Tierra.

Los animales terrestres

Para estudiar los animales terrestres los clasificamos, es decir, los agrupamos según sus semejanzas. Por ejemplo, podemos clasificarlos en animales que:

caminan

vuelan

se arrastran

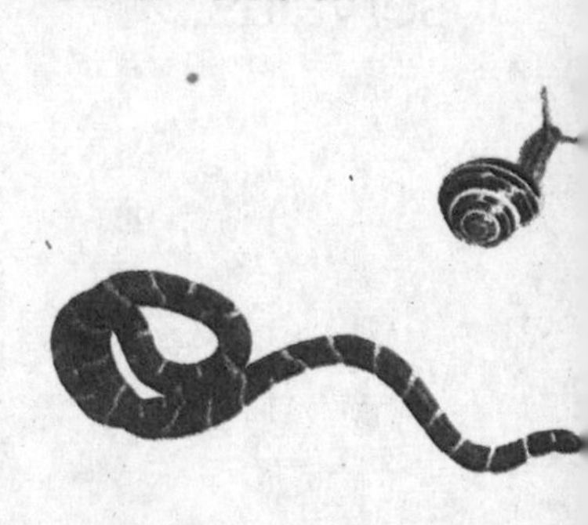

Según el lugar en que viven:

en nidos

en corrales

en madrigueras

O según el color de sus cuerpos:

verdes

rojos

Escribe en tu cuaderno una lista de animales terrestres y encuentra distintas maneras de clasificarlos.

Dibuja en estos círculos dos grupos de animales y compáralos con los de tus compañeros.

Los nacimientos

Los animales que nacen de huevo, como los pollos, las tortugas o los pájaros, se llaman ovíparos.

Los huevos de los ovíparos se forman dentro del cuerpo de la madre. Después, ella pone los huevos, para que terminen de desarrollarse en un nido, en el agua o en la arena de una playa.

Cuando llega el momento del nacimiento, se rompe el huevo y sale el animalito recién nacido.

Algunos ovíparos permanecen en sus nidos por un tiempo, protegidos por su madre o por su padre, hasta que aprenden a volar o a buscar sus alimentos.

Otros ovíparos salen del huevo y son capaces, desde el primer momento, de nadar, caminar o volar y de encontrar por sí mismos sus alimentos.

Dibuja animales ovíparos que conozcas
y escribe sus nombres.

Los animales que se forman y se desarrollan dentro del cuerpo de su madre, se llaman vivíparos. Ahí crecen y se preparan para nacer.

Cuando nacen, los animales vivíparos permanecen cerca de sus madres, alimentándose y recibiendo sus cuidados. Se alejan para vivir con independencia cuando han aprendido a moverse, a conseguir su alimento y a protegerse.

Dibuja animales vivíparos que conozcas y escribe sus nombres.

La alimentación

Los seres vivos necesitamos alimentarnos para conservar la vida.

Al alimentarnos, tomamos de la naturaleza los elementos que necesitamos para que nuestro cuerpo crezca y tenga energía.

Las plantas toman su alimento del suelo, a través de sus raíces, y, con la ayuda del agua, absorben los nutrientes de la tierra.

Para vivir necesitan sol y aire.

Algunos animales se alimentan de plantas o de partes de ellas,

como hojas, frutas,  o semillas.

Otros comen animales, como lombrices,  serpientes,

peces,  conejos  o ratones.

Observa, pregunta o busca en libros qué alimentos comen estos animales:

El perico  come ______________________________

La lagartija  come ______________________________

La vaca  come ______________________________

El murciélago  come ______________________________

Compara tus respuestas con las de tus compañeros.

¿Qué comemos las personas?

Las personas comemos semillas, raíces, frutas, hojas y flores, como la flor de calabaza. También comemos carne, miel de abeja, huevos y leche.

Consumimos alimentos naturales, que son los que comemos tal y como los obtenemos de la naturaleza.

Consumimos alimentos procesados, que son alimentos naturales preparados especialmente para que tengan mejor sabor, se vean más atractivos y se conserven por más tiempo.

Podemos consumir alimentos industrializados, que son alimentos naturales molidos, cocidos, deshidratados y empacados de tal manera que puedan enviarse a otras regiones o almacenarse durante mucho tiempo, sin descomponerse.

¿Has notado si es diferente el sabor de los alimentos enlatados? ¿Conoces alguna manera sencilla de conservar la carne? ¿Consumes algún alimento que venga de una localidad lejana?

Dibuja alimentos que conozcas, en el lugar que les corresponda.

naturales procesados industrializados

Compara tus dibujos con los de tus compañeros.

El cuidado de la vida

Todos podemos proteger a la naturaleza y a los seres vivos.

El descuido, la ignorancia y la crueldad hacen daño a la vida en nuestro planeta.

Existen animales que se están acabando, como las tortugas marinas, las águilas o los venados. Si no los cuidamos desaparecerán.

Si sembramos árboles en las colinas despobladas, la lluvia y el viento no arrastrarán la tierra.

Tenemos que impedir que se atrapen o cacen animales en peligro de extinción o durante la época de su reproducción.

¿Existe en tu localidad algún animal o planta en peligro de extinción?

También podemos evitar ensuciar el suelo, el agua y el aire que compartimos todos los seres vivos de la Tierra.

La expropiación petrolera

18 de marzo de 1938

El petróleo es una fuente de energía. La gasolina que se utiliza en los motores de autos y aviones y el gas que se usa en las estufas se producen con petróleo.

Bajo la tierra y los mares de México existe petróleo en abundancia, pero hubo un tiempo en que sólo los extranjeros aprovechaban nuestra riqueza petrolera.

En 1938 el presidente Lázaro Cárdenas, apoyado por los mexicanos, estableció que sólo nuestro gobierno puede extraer petróleo del territorio nacional.

El nacimiento de Benito Juárez

21 de marzo de 1806

Benito Juárez fue presidente de México hace más de 100 años.

Recordamos la fecha de su nacimiento porque luchó sin descanso por el respeto a las leyes y por la libertad nacional.

Benito Juárez nació en una familia muy humilde. Siempre vivió con modestia y honradez. Dio ejemplo de que es obligación de la autoridad servir al pueblo.

6

LA LOCALIDAD Y OTRAS LOCALIDADES

Las localidades son diferentes

Las localidades son diferentes. Unas son rurales; es decir, están situadas en el campo. Sus habitantes cultivan plantas alimenticias y flores, tienen gallineros, corrales y establos con animales domésticos.

Estas localidades obtienen el agua que necesitan directamente de manantiales, ríos o lagos y dependen de las localidades urbanas para algunos servicios y productos.

Si vives en una localidad rural, entrevista a alguna persona que haya trabajado en la ciudad.

Las localidades urbanas son las ciudades y las colonias. En ellas, las calles están cubiertas por asfalto para que circulen los automóviles y los camiones; hay grandes edificios, viviendas, fábricas y oficinas.

El trabajo de los habitantes urbanos genera servicios, como los que se ofrecen en hospitales, teatros o universidades. Además producen camiones, televisores, refrigeradores y otros objetos útiles.

Las localidades urbanas dependen de las rurales para obtener sus alimentos.

Si vives en la ciudad, entrevista a alguna persona que haya trabajado en el campo.

¿Y tu localidad?

Observa las casas, los talleres, los servicios, los transportes, las personas de tu localidad y completa el texto.

Mi localidad es ____________________

¿rural? ¿urbana?

Para llegar a mi localidad es necesario ____________________

____

____

Hay diversos oficios en mi localidad. Los que yo considero más importantes son:

____

____

____

Tenemos distintos productos:

____

____

Yo pienso que a mi localidad le hace falta ______________________

____

____

Una de las grandes riquezas que tiene mi localidad es __________

____

____

Si yo pudiera cambiar algo en mi localidad, me gustaría _________

____

____

Compara tu texto con los de tus compañeros.

Discutan acerca de las diferencias y encuentren los puntos de acuerdo.

El intercambio de servicios y productos

Son tantos los productos y los servicios que necesitamos, que ninguna localidad puede disponer de todos.

Por eso decimos que las localidades necesitan intercambiar productos y servicios.

Una localidad puede ofrecer sus productos y servicios a los habitantes de otras localidades y recibir los que necesita. A esto se le llama intercambio.

Las localidades rurales pueden intercambiar entre ellas; por ejemplo, pescados por manzanas, canastas de bejuco por vestidos bordados o los servicios de una banda de música por semillas.

Las localidades urbanas intercambian productos entre ellas; por ejemplo, escritorios por llantas, o televisores por cintas de música. También compran y venden productos y servicios. A esto se le llama comercio.

Las localidades urbanas comercian con las rurales. Las urbanas venden tractores o servicios eléctricos y las rurales venden maíz, fruta o alimentos de origen animal.

Observa los dibujos. Coméntalos con tus compañeros. Dialoguen acerca del intercambio y comercio que realiza tu localidad con otras localidades.

Los transportes y la comunicación

Los transportes nos sirven para movernos de un lugar a otro.

Los usamos para viajar, visitar otras localidades y enviar productos para intercambiarlos y venderlos.

Hay transportes terrestres, 

marítimos,  fluviales,  y aéreos.

Los transportes circulan por las vías de comunicación: carreteras, redes ferroviarias y aéreas, y ríos navegables.

Podemos enviar nuestra voz por radio o por teléfono, nuestras ideas y dibujos por correo, fax o computadora, nuestra imagen por televisión o video. Estos son los medios de comunicación. Hay mensajes que viajan en unos cuantos segundos a cualquier lugar de la Tierra.

¿Qué medios de transporte se usan en tu localidad? ¿A dónde te gustaría ir? ¿Qué medio de transporte usarías? Dibújalo aquí.

¿Cómo se comunican los habitantes de tu localidad? ¿Qué medios de comunicación has usado?

Construye un "teléfono" usando dos botes vacíos y un hilo delgado. Úsalo para comunicarte con algún compañero o compañera.

R16

Las regiones

Las localidades vecinas que comparten un mismo paisaje, que tienen caminos que las unen, que intercambian entre sí productos y servicios, que tienen costumbres parecidas o celebran fiestas comunes, forman una región.

Piensa en tu región.

¿Cómo es el paisaje? ¿Qué medios de comunicación unen a las localidades vecinas con la tuya? ¿Qué intercambios realizan? ¿Existe alguna fiesta en común? ¿Qué lenguas hablan?

Platiquen de los viajes que han realizado por su región.

Entrevisten a adultos de su comunidad y pídanles que les cuenten de las localidades vecinas.

Hagan un mapa de su región en el pizarrón.

Dibújalo aquí y anota los nombres de las localidades vecinas y de los lugares que te parezcan más interesantes.

El Día Internacional del Trabajo

1º de mayo

Todos los artículos y los servicios que usamos en nuestra vida diaria son producto del trabajo de las personas.

Los trabajadores han luchado mucho por sus derechos. Necesitan un salario justo, seguridad y salud. También necesitan descanso y oportunidades de aprender nuevas cosas.

Este día celebramos la lucha de los trabajadores del mundo por tener una vida digna.

La Batalla de Puebla

5 de mayo de 1862

Para que exista paz en el mundo, cada país debe respetar la independencia de todas las naciones.

En 1862, el emperador de Francia ordenó a su ejército que invadiera nuestro territorio. Quería que México fuera gobernado por un emperador extranjero.

Los soldados mexicanos defendieron nuestra tierra sin temor. El 5 de mayo, en la ciudad de Puebla, derrotaron al ejército francés. Recordamos con orgullo esa batalla, porque fue una victoria de la libertad.

7

LOS CAMBIOS EN EL TIEMPO

El Sol

El Sol es una estrella que irradia luz y calor. La vida de las plantas, los animales y las personas depende del Sol.

Desde hace miles de años, el Sol aparece en la vida de los pueblos representado en piedras, templos, pirámides, dibujos, leyendas o poemas que muestran el gran respeto que nuestros antepasados sentían por el Sol.

Pregunta cómo se representa al Sol en diferentes lugares y dibuja aquí la representación que más te guste.

Los niños y las niñas tienen derecho a conocer la cultura de sus antepasados.

En muchos pueblos indios, al Sol se le llama padre, fuego celeste, guardián del cielo o dador de la vida.

En sus poemas, los coras, indígenas de los estados de Jalisco y Nayarit, también hablan del Sol.

El camino del Sol

Nuestro Padre en el cielo piensa ponerse en marcha,
en marcha hacia el poniente.

Con su vara emplumada, con sus nubes,
adornará hermosamente el cielo.

Ya va bajando con su atuendo
cada vez más cerca del poniente.

¿Qué escribirías acerca del Sol?

El Sol, la Tierra y la Luna

El Sol, la Tierra y la Luna tienen tamaños diferentes. El Sol es mucho más grande que la Tierra y la Luna es aún más pequeña.

Para que te des una idea de la diferencia de tamaño entre estos tres astros, compara un melón, un chícharo y un ajonjolí. Compara también el tamaño de un globo grande, con el de una canica y un balín de metal.

¿Qué otras comparaciones se te ocurren?

Haz tus propios modelos del Sol, la Tierra y la Luna con barro, masa, papel engomado o plastilina y ponles etiquetas con sus nombres.

El día y la noche

Nuestra vida depende del Sol.

Cuando sale el Sol, el paisaje se ilumina y el ambiente se calienta. La luz y el calor del Sol nos despiertan y nos permiten comenzar un nuevo día.

Cuando el Sol se pone, el paisaje se obscurece y el ambiente se enfría.

Hay oficios nocturnos: algunos pescadores pescan en el mar durante la noche, por ejemplo.

Hay animales nocturnos: el murciélago, el búho o la zorra, que salen a buscar alimento después de que se pone el Sol.

¿Cómo son las noches en tu localidad? ¿Qué hace la gente durante la noche? ¿Qué sucede con las plantas y los animales? Averigua qué oficios nocturnos hay en tu localidad. Si conoces alguna leyenda o cuento que hable de la Luna, nárrala a tus compañeros.

Colorea las ilustraciones de estas dos páginas y dibuja el Sol y la Luna en el cuadro que les corresponde.

Experimenta y reflexiona

Todos los fenómenos de la naturaleza tienen una causa. La lluvia, los rayos, los vientos, tienen diferentes causas.

La luz y el calor del Sol provocan diferentes efectos, como el día y la noche, por ejemplo.

Coloca un pedazo de cartón sobre una superficie de pasto. Déjalo así durante una semana y destápalo al octavo día.

¿Qué le ocurrió al pasto? ¿Por qué causa?

Pinta una lata de negro, llénala con agua y colócala bajo los rayos del Sol de medio día. Espera unas tres horas.

Toca el agua. ¿Cómo se siente? ¿Por qué causa?

Observa algunos hechos que ocurren a tu alrededor. Investiga sus causas y coméntalas con tus compañeros.

¿Cuáles crees que son las causas y los efectos de los hechos dibujados?

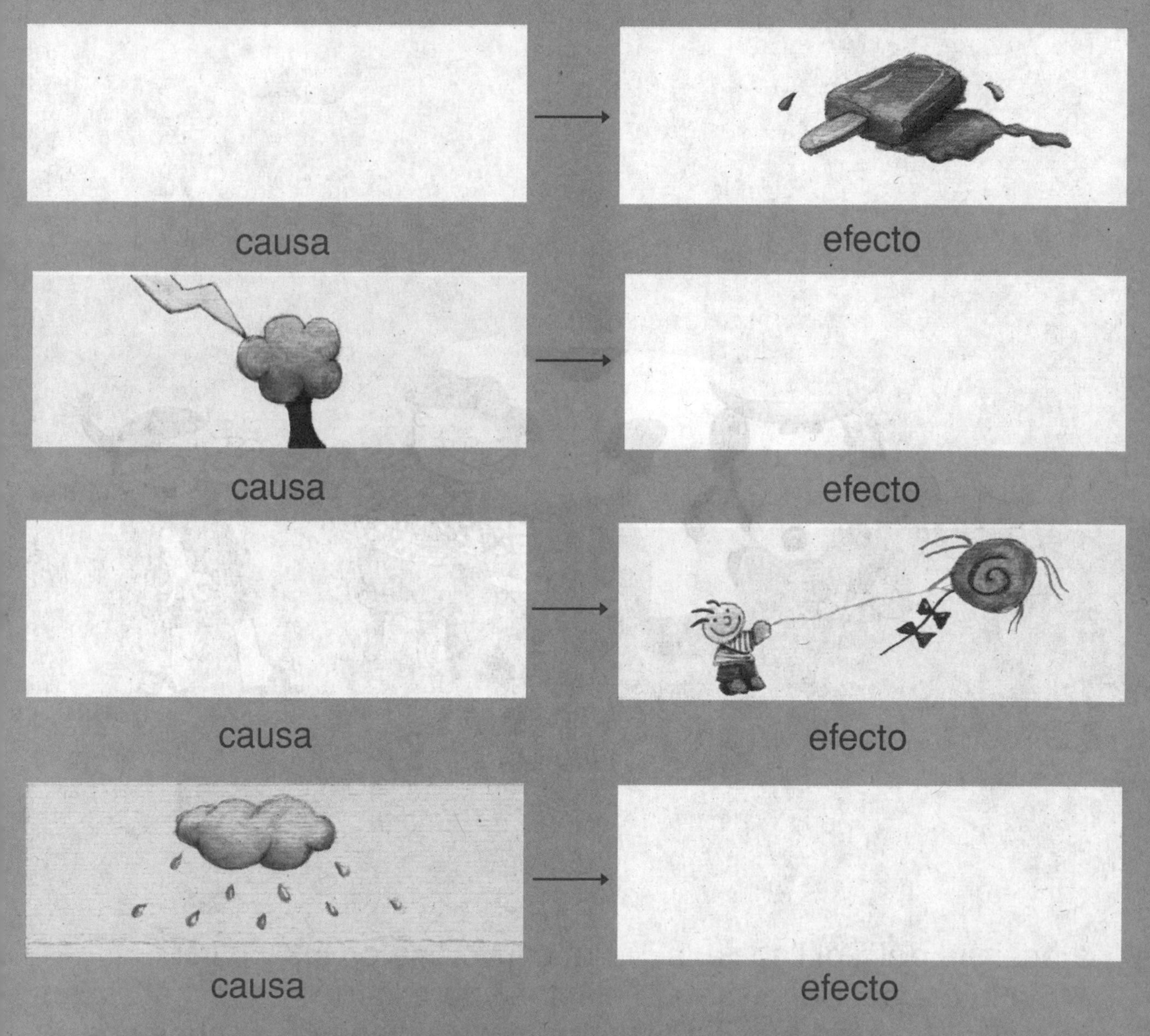

Compara tus dibujos con los de tus compañeros.

El camino de la energía del Sol

La energía del Sol llega a la Tierra convertida en luz y calor.

Sin la luz del Sol no habría plantas sobre la Tierra y, sin ellas, no sería posible la vida de los hombres ni de los animales, pues nos quedaríamos sin alimento.

Las personas, las plantas y los animales necesitamos calor para vivir.

Hay lugares en la Tierra en donde hace demasiado calor o el frío es muy intenso. Ahí, la vida se vuelve muy difícil.

Nuestro país tiene una gran cantidad de paisajes, plantas y animales. ¿Cuáles conoces? Dibújalos aquí.

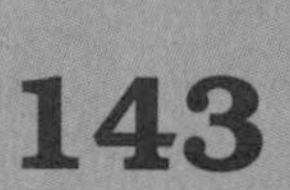

Diversas fuentes de energía

Existen fuentes naturales de energía, como el Sol, el viento o el agua de las presas, que al caer con fuerza echa a andar motores poderosos o mueve molinos.

Las personas usamos energía para producir calor, para mover máquinas o para generar luz eléctrica.

Haz un rehilete con el Recortable R17 . Descubre distintas maneras de hacerlo girar sin soplarle.

R17

A lo largo de los años, las personas han descubierto maneras de producir fuentes artificiales de energía, como los derivados del petróleo:

gasolina o gas doméstico, por ejemplo.

La electricidad es una fuente artificial de energía que nos permite iluminar las casas en la noche, encender un radio o la televisión, o viajar en metro.

Para lanzar un cohete a la Luna o mover submarinos, se utiliza la energía atómica.

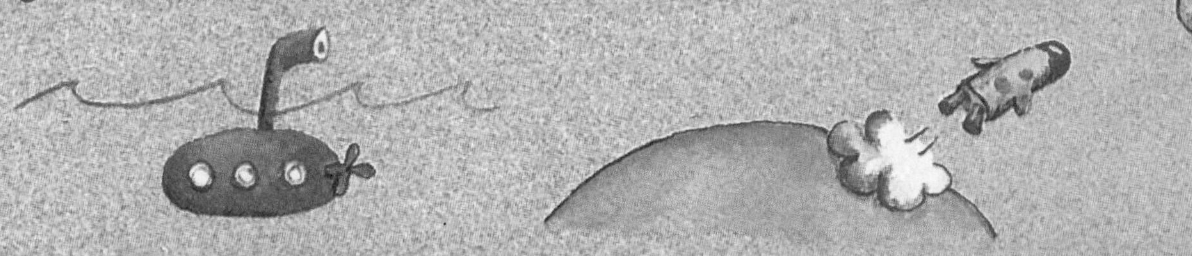

¿Con qué energía calientan el agua en tu casa? ¿Cómo se alumbran en las noches? ¿Qué fuentes de energía conoces?

Descubre aparatos y máquinas

¿Qué aparatos y máquinas hay en tu casa, en tu escuela o en tu localidad?

Descúbrelos y dibújalos en tu cuaderno.

Dibuja en los cuadros aparatos que usen energía del agua, del viento, electricidad o gasolina y anota para qué sirven.

Fíjate en el ejemplo.

Tipo de energía que utiliza	Nombre de la máquina o aparato	Para qué sirve

Tipo de energía que utiliza	Nombre de la máquina o aparato	Para qué sirve
gasolina		
electricidad		
viento		

El reloj

Podemos medir el paso del tiempo contando las horas.

Para esto, usamos el reloj. El reloj marca las horas y los minutos y tiene dos manecillas: una corta, que señala las horas y otra larga, que señala los minutos.

Los relojes digitales también marcan las horas y los minutos con números luminosos que aparecen en una ventanilla y que puedes ver en la obscuridad.

¿Hay relojes en tu casa? ¿Cómo son? ¿Has visto relojes en tu localidad? ¿En dónde los has visto? ¿Cómo son?

Busca relojes en revistas o periódicos. Compáralos. Recórtalos y pégalos aquí. También puedes dibujar relojes de distintos tipos.

Medimos el tiempo

El día y la noche nos permiten medir el tiempo.
Este es un día completo.

Un día

Siete días seguidos forman una semana.
Dibuja lo que haces cada día.

domingo	lunes	martes	miércoles	jueves	viernes	sábado

Un mes tiene 30 ó 31 días.

Forma un puño con tu mano y comienza a decir los nombres de los meses señalando huesito, espacio, huesito, espacio, huesito. . . para cada mes.

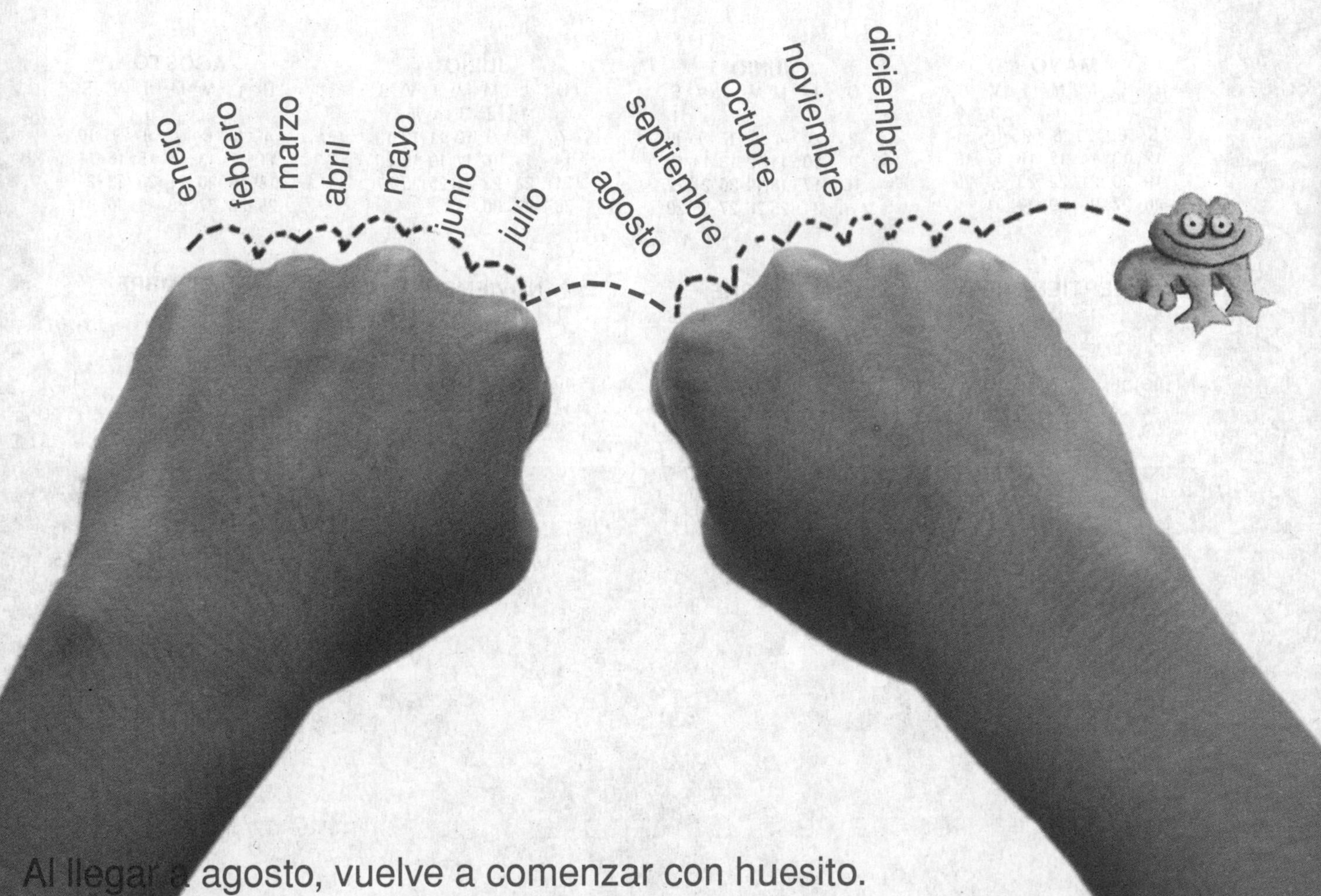

Al llegar a agosto, vuelve a comenzar con huesito.

Los meses que caigan en huesito tienen 31 días y los que caigan en espacio tienen 30. La excepción será febrero, que tiene 28 ó 29 días.

¿En qué mes naciste? ¿En qué mes nacieron tus compañeros? ¿Y tu maestra o maestro?

El calendario

Los calendarios marcan los días, las semanas y los meses de un año.

En los calendarios podemos anotar la fecha en la que ocurrió un hecho importante para nosotros.

Forma un equipo para elaborar un calendario en donde registren los cumpleaños de cada uno de ustedes, o los periodos en que tendrán vacaciones en la escuela.

Usando los nombres y figuras de los Recortables R18 y R19, elabora un calendario ilustrado, para que puedas anotar las fechas importantes para ti.

Para marcar los números de los días de cada mes en el lugar correspondiente, pide ayuda a tu maestra o maestro.

R18 R19

Los años

Podemos medir el tiempo en años. Cada año tiene 12 meses.

Los años nos sirven para medir los acontecimientos de la historia personal, familiar o nacional. Por ejemplo, decimos que el inicio de la Revolución Mexicana ocurrió en el año de 1910; o que un hermano nuestro nació en el año de 1993.

Los años también nos sirven para conocer la edad de las personas. ¿Cuántos años tienes? ¿Cuántos años tiene tu maestra o maestro?

Escribe en tu cuaderno tres acontecimientos importantes que ocurrieron el año pasado y un deseo que tengas para el próximo año.

Pregúntale a tu mamá, a tu papá o a tus familiares acerca del día de tu nacimiento. Comenta con tus compañeros lo que te contaron.

Cada uno de nosotros cumple años en un día especial de un mes especial. A ese día lo llamamos el día de nuestro cumpleaños.

Anota aquí el día de tu cumpleaños.

8

MÉXICO, NUESTRO PAÍS

Nuestro país, con todas sus localidades, paisajes, personas y culturas, forma una gran nación. En ella vivimos los mexicanos. Algunos poetas expresan su amor por México en canciones o poemas. Como Ramón López Velarde, que dice:

Suave Patria
tu superficie es el maíz
tus minas el palacio del
Rey de Oros
y tu cielo las garzas en
desliz
y el relámpago verde
de los loros.

Reúnete con tus compañeros. Observen el mapa y ubiquen la entidad en que viven.
¿Cuántos estados están en la costa?

Cuenten las entidades de nuestro país ¿Se parecen unas a otras? ¿Qué formas y tamaños tienen?

Traten de conseguir un mapa de su entidad y localicen el municipio o la delegación en donde viven.

El territorio mexicano

ESTADOS UN

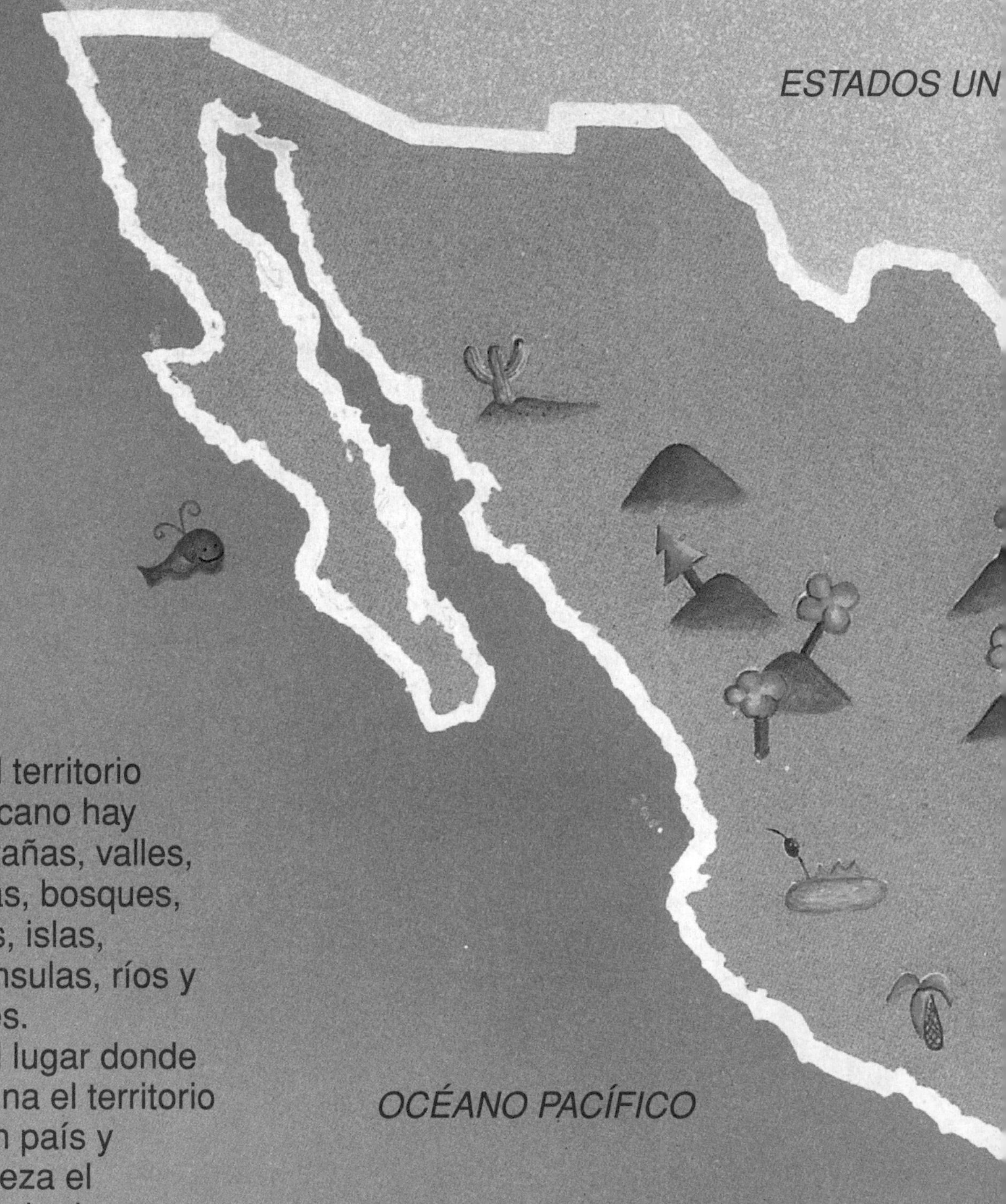

En el territorio mexicano hay montañas, valles, selvas, bosques, lagos, islas, penínsulas, ríos y mares.

El lugar donde termina el territorio de un país y empieza el territorio de otro se llama frontera.

OCÉANO PACÍFICO

Observa el mapa. Recorre con tu dedo las fronteras de nuestro territorio y marca las costas con color azul.

Localiza los países vecinos. Marca los puntos cardinales.

Observa el mapa y comenta con tus compañeros: ¿qué país está al norte de nuestro territorio? ¿Qué hay al sur? ¿Qué queda al oriente? y, ¿qué queda al poniente?

Los paisajes naturales

La cantidad de lluvia, la altura de las montañas y la cercanía del mar, hacen que los paisajes de nuestro país con sus plantas y animales sean diferentes.

Observa las fotografías. Comenta con tus compañeros qué diferencias encontraste.

¿Cómo es el paisaje de tu localidad? Dibújalo.

¿Qué lugar te gustaría conocer? Dibújalo.

El comercio

Cada entidad de la República Mexicana tiene productos diferentes. Algunas producen frutas, otras pescado, otras zapatos, otras televisores o automóviles...

A través del comercio, las personas que habitan las entidades de la República Mexicana, venden lo que producen y compran los productos que necesitan.

Observa los productos dibujados en estas páginas.

- Colorea con rojo los objetos que se producen y se venden en tu localidad.
- Con azul los productos que tu localidad compra a otras localidades.
- Con verde los productos que sólo conoces a través de fotografías o dibujos.
- En los espacios vacíos, dibuja los productos que compra tu localidad y que no aparecen en estas páginas.

R20 R21

México, un país diverso

En nuestro país las personas viven de maneras distintas.

Según la región tienen casas, vestidos, oficios, lenguas, historias o costumbres diferentes.

Por eso decimos que México es un país diverso, rico en paisajes, alimentos, cuentos, artes, opiniones, fiestas o juegos propios.

Las personas debemos aprender a opinar y a proponer.
También debemos aprender a escuchar con atención las preguntas, las propuestas, las opiniones y las necesidades de los que nos rodean.

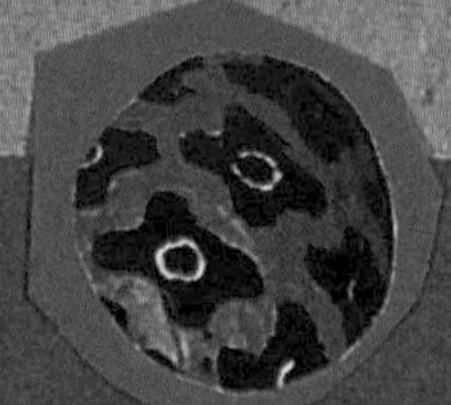

Los derechos de los mexicanos

En México, la Constitución Mexicana establece derechos que nos corresponden a todos los mexicanos:

libertad para pensar;

libertad para expresar lo que pensamos;

libertad para viajar por cualquier lugar del territorio, sin que nadie nos detenga;

y libertad para reunirnos con quienes nosotros elijamos, para comunicarles nuestros pensamientos, sentimientos, conocimientos o propuestas.

Los derechos de los niños

Las niñas y los niños tienen derecho a desarrollarse con salud, respeto y bienestar.

Algunos de estos derechos indican que las niñas y los niños deben recibir amor, cuidado, alimento, educación y un nombre propio.

Los niños y las niñas tienen derecho a que los adultos escuchemos con respeto sus opiniones, sus peticiones, sus planes.

Todos, vivan donde vivan, tienen derecho a la educación y a la seguridad; a jugar, a crecer sanos, a conocer la naturaleza que los rodea y a participar en el grupo social en el que viven.

México, una sola nación

Los mexicanos formamos una sola nación, rica en costumbres, paisajes o trabajos diversos. Los mexicanos tenemos costumbres y fiestas tradicionales que celebramos en todo el país, en los mismos días del año.

¿Qué fiestas nacionales celebran en tu localidad? ¿Cómo las celebran? Platica con tus compañeros y escribe.

¿Cómo celebran el día de muertos?

¿Cómo celebran las posadas en tu localidad?

¿Cómo celebran la fiesta de fin de año?

En tu calendario, anota las fiestas que celebras.

Hay celebraciones nacionales que festejamos para conmemorar hechos importantes de la historia de México.

En las escuelas, los niños se reúnen junto con sus maestros, para celebrar estos días de fiesta nacional. Algunas veces invitan a los padres de familia, a un orador o a una banda de música.

¿Cómo celebran en tu localidad la Independencia de México? Dibújalo.

¿Cómo celebran en tu escuela la Revolución Mexicana? Dibújalo.

Los símbolos patrios

Los mexicanos tenemos símbolos patrios que representan a nuestro país, con toda su riqueza y variedad. Son la Bandera, el Escudo y el Himno Nacional.

¿Qué sientes cuando escuchas el Himno Nacional?

____

____

____

¿Qué piensas cuando ves ondear la Bandera?

____

____

____

El Himno Nacional

La letra y la música de nuestro Himno fueron escritas por el poeta Francisco González Bocanegra y por el compositor Jaime Nunó.

Ellos fueron los ganadores de un concurso nacional en el que compitieron muchos autores mexicanos.

Podemos escuchar y cantar el Himno en la ceremonia escolar del saludo a la Bandera, en la noche en que celebramos la Independencia de México o en actos deportivos.

Cuando escuchamos el Himno Nacional, nos ponemos de pie, en señal de respeto.

El Escudo Nacional

El águila es un símbolo muy antiguo. Para muchos pueblos indios de nuestro país, representa la fuerza del Sol.

Para otros, el águila es un ser capaz de llegar hasta los dioses y llevarles los mensajes de los hombres.

Los aztecas consideraban que el águila era mensajera del dios Huitzilopochtli.

La *Crónica Mexicayotl* relata el encuentro de los aztecas con el águila, cuando buscaban el sitio en que deberían fundar su ciudad. Estos son algunos fragmentos.

Llegaron entonces
allá donde se yergue el nopal.
Cerca de las piedras vieron con alegría
cómo se erguía un águila sobre aquel nopal.
Allí estaba comiendo algo,
lo desgarraba al comer.
Cuando el águila vio a los aztecas,
inclinó la cabeza.
De lejos estuvieron mirando al águila,
su nido de variadas plumas preciosas.
Plumas de pájaro azul,
plumas de pájaro rojo.

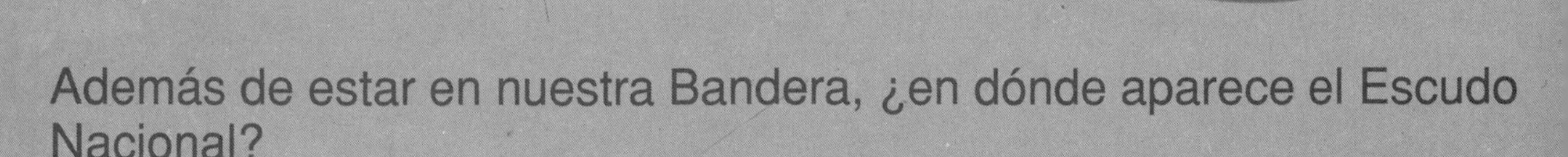

Además de estar en nuestra Bandera, ¿en dónde aparece el Escudo Nacional?

La Bandera de México

Las banderas existen hace cientos de años.

Nuestros antepasados indígenas tenían banderas hechas con plumas: amarillas, blancas, verdes o azules. Las levantaban en forma de sombrillas o penachos, de la misma manera en la que nosotros elevamos nuestra bandera en el mástil.

El águila del Escudo Nacional ha sido representada en distintas posiciones a lo largo de los años. Sin embargo, los colores de nuestra Bandera no han cambiado, siempre han sido verde, blanco y rojo.

A manera de despedida

Has terminado el segundo grado escolar y tu *Libro Integrado* llega a su fin.

¿Qué te parece si escribes e ilustras las últimas páginas?

¿Te gustaría compartir este libro con tus amigos y familiares?
Cuídalo para releerlo cuando seas grande.

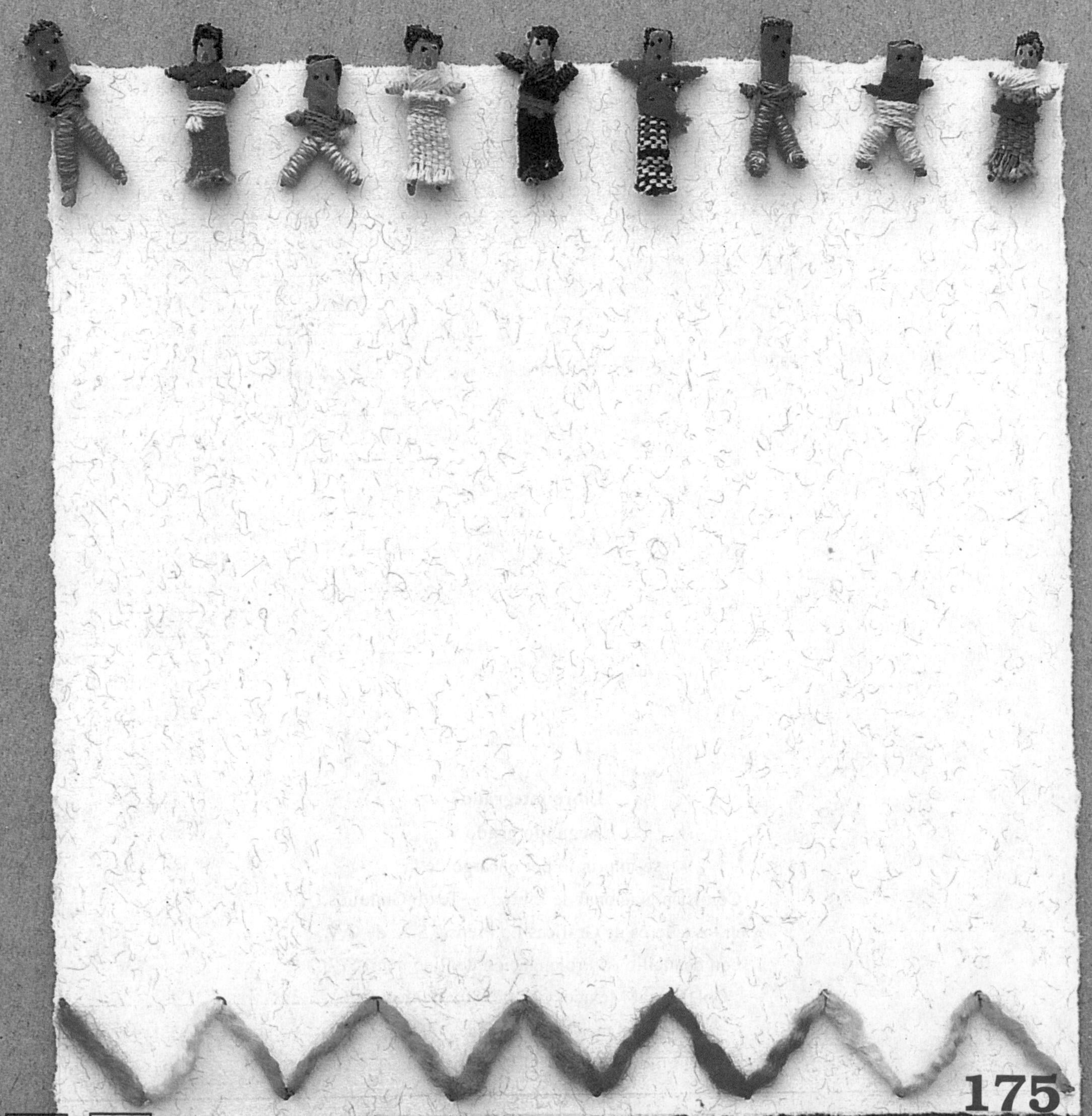

R22 R23

Libro integrado
Segundo grado
se imprimió por encargo de la
Comisión Nacional de Libros de Texto Gratuitos,
en los talleres de Gráficas La Prensa, S.A. de C.V.,
con domicilio en Prolongación de Pino núm. 577,
Col. Arenal México, C.P. 02980, México, D.F.,
en el mes de octubre de 2002.
El tiraje fue de 3'176,200 ejemplares,
más sobrantes de reposición.